잠자는 사자를

깨워라

내면의 잠재력 퍼올리는
코칭, 그 마중물의 힘

잠자는 사자를
깨워라

내면의 잠재력 퍼올리는
코칭, 그 마중물의 힘

1판 1쇄 펴낸 날 2011년 7월 15일
1판 2쇄 펴낸 날 2017년 7월 14일

저자 허달
발행인 김재경
기획 · 편집 김성우
디자인 최정근
삽화 남궁산
마케팅 권태형
제작 재능인쇄

펴낸곳 도서출판 비움과소통
경기도 파주시 하우고개길 151-17 예일아트빌 103동 102호(야당동 191-10)
전화 031-945-8739
팩스 0505-115-2068
홈페이지 http://blog.daum.net/kudoyukjung
이메일 buddhapia5@daum.net

출판등록 2010년 6월 18일 제318-2010-000092호

ⓒ 허달, 2011
ISBN : 978-89-964771-9-8 03320
정가 13,500원

잘못된 책은 교환해 드립니다.
이 책은 저작권법에 따라 보호받는 저작물이므로 무단전재와 복제를 금지하며,
이 책 내용의 일부를 이용할 때도 반드시 지은이와 본 출판사의 서면동의를 받아야 합니다.
불교 또는 동양고전, 자기계발, 경제 · 경영 관련 원고를 모집합니다.

잠자는 사자를 깨워라

내면의 잠재력 퍼올리는

코칭, 그 마중물의 힘

허 달 지음

비움과소통

| 차례 |

제3장   코치로 산다는 것

검려(黔驢)와
제2바이올린

15년 전쯤의 일일 것이다. 현천서실에 자주 들리던 원로시인 민영閔暎 씨가 나를 서실 구석으로 가만히 부르더니, 손바닥만한 책을 한 권 주셨다. 작고 화가이자 수필가인 김용준의 글모음 《근원수필近園隨筆》을 1988년 당신이 발문을 써서 재 발간한 범우문고汎友文庫의 문고판 서적 희귀본이었다. 김용준은 자신을 원숭이나 나귀와 다름 없다고 비하하여 근원近猿, 검려黔驢 등으로 자호自號: 스스로 호를 붙임하였는데, 나중 그 음을 따서 근원近園이라 호를 정하였다고 한다. 책을 읽어보니 서화에 대한 해박한 지식과 깊은 애정, 거속去俗: 속된 삶에서 벗어남한 예술가의 삶을 유려한 필치로 써낸 향기 높은 수필집인데, 자신을 검려라 칭한 소회는 아래와 같았다.

중국의 검주黔州라는 땅에는 호랑이는 있으나 나귀는 없었는데 어느 날 장사꾼 하나가 나귀 한 마리를 끌어다 산 밑에 매어두었다. 호랑이라는 놈이 하루는 내려와 보니 생전 듣도 보도 못한 이상한 동물이 떡 버티고 섰는데, 거무튀튀한 놈이 커다란 눈깔을 껌벅거리며 섰다가 소리를 냅다 지르는 꼴이 어마어마하게 무섭게 보였던지 걸음아 날 살려라 도망을 갔것다. 거기서 그쳤으면 좋았을 것을 나귀란 놈, 시시때때로 소리를 질러대고 시원찮은 발길질을 선 보이니, 호랑이가 가만히 보아하니 그까짓 것 무서울 것 없다, 이리저리 다루어보고 마침내는 물어뜯어 죽여버렸다는 것이다.

근원이 스스로 자신이 그림 그리는 일, 수필 쓰는 일을 어디선가 멈추지 못하고 마침내 못난 재주를 다 드러내어 세인의 비웃음을 샀다고 겸양, 이 일을 나귀의 어리석은 발길질에 비유하여 자신을 '검주의 나귀', 검려라 칭하였다는 이야기였다.

지하철 역에서 기차 들어오기를 기다릴 때면, 무심코 눈 닿는 곳에 붙은 글들을 읽곤 하는데, 최근에 읽어 기억에 남은 글은 오케스트라의 명 지휘자 번스타인의 말이었다. 누군가 번스타인에게 물었다.

"오케스트라에서 가장 어려운 악기는 어떤 것인가요?"

"제2바이올린이지요."

번스타인이 주저 없이 대답했다.

"제2바이올린을 제1바이올린과 같은 열정을 갖고 연주하는 연주자를 찾기 어렵거든요."

자, 이제 어리석은 나귀의 발길질 같은 글쓰기를 마쳤다.

그러나 못난 재주이고, 제2바이올린의 역할이었을 망정, 제1바이올린 주자의 열정을 가지고 그 일을 맡았었다는, 그런 자부는 할 수 있지 않을까?

보살의 길도, 코치의 길도, 또 어쩌다 잠시 반연된 잡문 쓰는 일도 무슨 분별이 있어 제1, 제2를 나눌 것인가?

다만 서산 대사께서 《선가귀감》에서 경계하신 바, 빈 수레를 한갓 말재주로 칠갑하여, 변소에 단청하는 우를 범하지는 않았는지 저으기 두려울 뿐이다.

《잠자는 사자를 깨워라》는 2009년 6월 10일부터 40여 주 동안 현대불교신문에서 연재한 칼럼 '불교와 코칭'을 수정 보완하여 발간하였던 《마중물의 힘》의 내용에 미비하다고 생각하였던 몇 편의 코칭 및 리더십 관련 글들을 더 모아 엮은 책이다. 다시 살펴보니 처음과 마지막의 몇 차례는 독자 여러분께 리더십과 코칭에 대한 지식을 중언부언 전달한 셈이 되었고, 중간 몇 편은 코치의 마음가짐, 코칭의 기술적 측면, 코칭의 작동기제作動機制 등이 또한 성현의 법에서 벗어나지 않는다는 소회가 있어, 이들을 그 동안 경험한 코칭의 실제 사례와 연결하여 적어본 셈이 되었다. 또 "코칭이든 불법이든 그 이름을 좀 떠나면 어떠랴"라는 내용의 글을 쓴 뒤에는 스스로 글쓰기의 부담이 좀 가벼워져서 몇 편은 여행기, 소묘素描, 수상隨想 형식을 빌어, 과거 내가 써 지니고 있던 잡문들을 원용하거나 또는 자기표절하여 구성한 것도 있었다. 쓸 당시에는 느끼지 못하였으나 다시 읽어보아 부끄러운 바 없지 않음이, 마치 술에 취해 왕희지 너 보란 듯이 일필휘지 써 내린 난정서蘭亭序 한 줄을 술 깨어 맨 정신에 다시 보고 부끄러워하는 것과 같다 하겠다.

이 책은 결국 리더십, 코칭에 익숙지 않은 불자들에게는 쥐꼬리만한 리더십과 코칭의 지식을, 불교에 익숙지 않은 코칭계 분들에게는 여기저기서 어깨너머로 들어 얻은 불법에 대한 알음알이를, 엉거주춤 이리저리 벌여놓아 도회韜晦: 자기의 재간을 감추어 남들의 이목을 속이는 것한 꼴이 되었으니 눈 밝은 이가 보면 여북하겠는가? 게으른 자의 겉핥기 삶이었으니, 남과 나눌 것이 부족한 것은 당연한 귀결이었다.
다만, 이 글들을 통해 내가 자처했던 역할은 무엇이었으며 과연 나는 그 역할의 사명을 맡을 자격이 있었을까? 글 쓰기를 맡기 이전에 해보았어야 할 질문을 언제나처럼 한 박자 늦게 자문自問해 보게 되는 것은, 늦었지만 좀처럼 얻기 어려운 귀한 자기성찰의 기회를 받은 행운이라 하겠다.

변변치 못한 글에 과분한 추천사를 붙여 준 김광규 시인, 고현숙

9

코치, 안성두 교수, 보관 스님, 조정남 부회장, 정기준 학술원 회원, 조진욱 회장 모두에게 감사한다. 글 쓰기를 주저하는 나에게 컬럼 연재를 부추겨 인연을 만들었으며, 끝내 이 책의 출간까지 맡아준 도서출판 비움과소통의 김성우 대표가 아니었다면 이 글들은 아마 태어나지도 못했을 것이다. 매번 연재 원고 마감일이 되어서야 컴퓨터 자판과 씨름하는 게으른 나를 독려하며, 언제나 내 글의 첫 독자이자 비평자가 되어 주었던 아내에게도 쑥스럽지만 고맙다는 말을 전하고 싶다.

2011년 6월
허 달

빈 문으로 나가기를 즐겨 하지 않고
막힌 창을 뚫으려니 어리석도다
한 평생 옛 종이만 뚫으려 하니
어느 날 비로소 머릴 내밀까?

공문불긍출 空門不肯出
투창야대치 投窓也大癡
백년찬고지 百年鑽古紙
하일출두시 何日出頭時

잠자는 사자를
깨워라

내면의 잠재력 퍼올리는
코칭, 그 마중물의 힘

| 제1장 | 삶! 코칭하라

운전에 바빠
주유소 들리지 않는다면

쇄신(刷新)

어느 리더십 워크숍에서 스티븐 코비 박사가 청중을 향해 물었다.
"여기 운전하기 바빠서 주유소 들릴 시간이 없다는 분 안 계십니까?" 청중들은 모두 큰 소리로 웃었는데, 그 중에는 가슴이 뜨끔한 사람들이 없지 않았을 것이다. 비근한 예로 일에 쪼들려 식사도 제대로 못하고, 자신의 건강을 돌보는 일에 소홀한 사람이 얼마나 부지기수인가? 몸의 건강만 건강인가, 마음과 몸이 하나라는 사실에 눈을 돌려보면, 일이라든지, 현안 문제에 매달려 정신적 건강이 피폐되어 가는 것을 방치하고 있는 일은 훨씬 더 많을 것이다. 주유소에 들러 연료를 재충전하는 일을 계속 미루고 있다면 언젠가는 가솔린 탱크가 바닥나고 차를 길 한복판에 세워야 하는 일이 오는 것처럼, 건강도 이를 쇄신하고 재충전하는 일을 계속 미룬다면 어떤 결과에 이르게 될지는 예측하기 어렵지 않다.

건강이라고 한 마디로 표현하였지만, 코비 박사는 자기 리더십Self Leadership의 명제로서 네 가지 측면의 건강을 염두에 두고 이를 쇄신하라고 말한다. 신체적, 정신적, 영적 건강의 쇄신, 그리고 관계의 쇄신이다.

신체적 쇄신을 이루는 것은 두 가지 방향에서 접근한다. 첫 번째는 정기적인 운동을 하는 것이다. 자신의 체력 조건에 맞추어 하루에 얼마만큼이 되든 적당량의 운동을 빠짐없이 하는 것인데, 아시다시피 '빠짐 없이' 라는 것이 주도성Proactivity을 시험하는 큰 도전이 된다. 내 경우는 매일 아침 108배를 하고 있는데, 운동량으로서는 조금 모자라는 것 같아 주간 단위로 아내와 함께 다른 운동도 3~4차례 하고 있다. 신체적 쇄신을 이루는 두 번째 노력은 영양소營養素의 투입 Nutrition인데, 일반인의 경우 나이 40세가 넘어서면 체내에서 생성되지 않는 효소가 많다 하며, 이 중 필수적인 효소, 미네랄 등은 외부에서 확보하여 투입해 주어야 한다는 것이다.

정신적 쇄신의 문제는 조금 더 복잡하다. 가솔린 탱크에 남은 연료의 양을 눈금으로 표시해 주는 계기計器가 없기 때문이다. 이 탱크의 충전은 주로 독서와 글쓰기를 통하여 이루어진다. 일주일에 몇 권의 책을 읽을 것인지 우선 정량적定量的 목표를 설정하라. 그리고 나서

평소 읽고 싶었던 책의 리스트를 만들어 시작하라는 것이 쇄신을 위한 실질적 충고이다. 달라이 라마의 충고를 따라, 적어도 일 년에 한 번은 이전에 전혀 가보지 않았던 곳으로 여행을 떠나는 것, 눈에 띄는 대로 리더십 세미나 등에 참여하는 것 등도 정신적 쇄신을 위한 좋은 처방이다.

영적 쇄신의 경우, 수행을 하는 종교인의 경우는 자신만의 시간을 갖고 명상, 참선하며, 또한 여러 가지 봉사 기회에 참여함으로써 자신의 영적 세계를 늘 새롭게 유지할 수 있다. 종교를 갖지 않은 사람

이거나, 참선·명상의 기회에 이르지 못한 사람의 경우는 자신의 사명서Personal Mission Statement를 만들고, 이를 새롭게 하는 일 등을 영적 쇄신을 이루는 방법으로 채택할 수 있을 것이다. 내 경우 108배를 끝내고 잠시 호흡을 가다듬어 좌선하는데, 신체적 건강과 영적 건강의 쇄신이 함께 이루어지는 양면 효과를 기대할 수 있다고 생각한다.

마지막은 관계Relationship의 쇄신인데, 이것은 나와 내게 소중한 타인 사이에 존재하는 신뢰의 잔고를 늘여나가는 작업이다. 사람과 사람이 만나면 어느 경우나 두 사람만의 사이에 존재하는 신뢰의 양을 잔고로 하는 계좌가 하나씩 생겨나는데 이를 코비 박사는 '감정은행계좌Emotional Bank A/C'라고 명명하였다. 상대방에 대한 친절, 배려, 호의, 약속을 하고 이를 지키는 것, 자신의 잘못에 대한 솔직하고 신속한 사과, 그 자리에 없는 제3자의 흉을 보지 않는 행위 등은 이 계좌에 예입預入하는 행위가 되고 그 반대는 인출이 된다. 관계의 쇄신이란 이 계좌에 뜻하지 않은 인출이 생기지 않았는지 늘 점검하고, 끊임없이 예입하는 행위를 일컫는 것이다.

쇄신은 지렛목을 옮겨 힘의 효과성을 높이는 일, 활의 시위를 당겨 팽팽하게 하는 일 등과 같은 창조적 긴장을 유지하는 일이므로, 나무꾼이 자신의 톱이 무디어지지 않도록 정기적으로 '톱날을 가는 일 Sharpening the Saw'에 비유된다. 이 일들은 그 중요성으로 보아 우리가 현재 직면한 어떤 일과 비교하여도 분명히 그 우선순위가 더 높음에도 불구하고, 우리는 이를 긴급하지 않은 일로 치부하고 미루게 된다. 언제든 마음만 먹으면 할 수 있다는 그릇된 믿음에 속기 때문이다.

 오늘 이 글을 읽고 네 가지 분야의 쇄신을 실행하기로 마음속으로 결심한 독자가 있었다 하자. 그가 오늘 결심한 쇄신의 행위를 며칠이나 지속할 수 있을까? 이 점에 대하여는 이미 옛날부터 정답이 나와 있다. 길어야 3일이라는 것이다. 작심삼일作心三日이란 말이 있는 연유이다.

 그러면 이와 같은 실행상의 문제를 어떻게 해결할 수 있나? 그것도 이미 해답이 나와 있다. 삼일마다 작심作心하는 것이다. 그러므로 쇄신을 통한 자기 발전은 언제나 결심-실행-좌절-결심-실행이 되풀이되는 나선형의 향상이 되는 것이 정상이다.

 그렇지 않다면 많은 성현들이 정진精進을 권면하는 말씀을 그처럼 많이 남기실 까닭이 어디 있었겠는가?

코칭,
내면의 잠재력
퍼 올리는 마중물

코치의 변(辯)

필자가 처음 만나는 사람에게 명함을 내밀 때 이를 꼼꼼히 들여다보는 사람들로부터 늘 받게 되는 질문이 있다.

"코칭을 하신다고 하셨는데 무슨 코치를 하시는 건가요?"

이 질문이 그것이다. 이럴 때 히딩크 감독처럼 축구를 코칭 한다거나, 김인식 감독처럼 야구를 코칭 한다고 짧게 한 마디로 상대방의 궁금증을 풀어줄 답을 말해줄 수 있으면 좋으련만 그것이 쉽지 않은 것이 문제다.

인생을 코칭 한다거나, 기업의 비즈니스를 코칭 한다거나, 젊은이들의 커리어를 코칭 한다거나, 정년 퇴직자들의 퇴직 후 노후 설계를 코칭 한다거나 이렇게 표현할 수밖에 없겠는데, "아, 그러면 상담 같은 거로군요" 하는 반응이 되돌아온다. 상담이라고 쉽게 말하면 될 것을 어째 생소한 외래어까지 써서 혼동을 일으키느냐는 힐난의 기미가 느껴지기도 한다.

훗날 세계 최대의 코칭 회사를 설립한 '이토 마모루'라는 일본인 경영자는 어느 때인가 캘리포니아 사랜연구소라는 곳에서 실시하는 골프 워크숍에 참가한 적이 있다고 한다. 일주일의 워크숍 기간 중 필드에 나간 것은 불과 2일뿐, 이제까지 듣지도 보지도 못한 레슨을 받았다. 필드에 나가서도 스코어 카드에 스코어를 기록하지 않고 매 타 샷을 날릴 때마다 코치가 옆에 와서 이런 질문을 했다.

"목표에 대한 집중력을 평가한다면 지금 샷은 1부터 10점까지 몇 점을 주시겠습니까?"
"자신의 몸과 움직임에 대한 자각은 몇 점입니까?"
"치는 순간까지 무엇을 생각하고 있었습니까?"
"어느 순간까지 볼을 보고 있었습니까?"

코치는 그가 말한 대답을 적고는 다른 데로 가버리고 무언가 가르치거나 하지는 않았다. 그럼에도 매번 샷을 할 때마다 코치가 와서 "몇 점?" 하고 묻거나, "자신의 이미지와 지금 한 샷의 차이는 어느 정도?"라고 묻는 것만으로도 조금씩 다른 시각과 감각을 익히게 되는 것 같았다는 것이다.

이토 씨가 받은 프로세스가 바로 '코칭'이라는 것이다. 코칭이란 경청과 질문을 통해 스스로 답을 찾도록 돕는 것이다. 자기 스스로가 답을 찾았으므로 그 해결 방안은 오래 지속되고 행동력도 외부로부터 주어진 해답에 비해 월등히 높다.

여러분은 아마도 마중물이라는 단어를 알고 있을 것이다. 아직 상수도가 완전히 보급되기 전에는 서울에도 마당에 펌프를 묻고 지하수를 퍼 올려 쓰는 집이 많았다. 쓰다 놓아두면 공기가 새어 들어가 헛 노는 펌프를 작동시켜 물을 퍼 올리려면 꼭 필요한 것이 한 바가지의 마중물이었다. 땅 밑을 흐르는 양질의 지하수가 아무리 풍부해도 한 바가지 물이 없으면 이를 퍼 올릴 방법이 없음에 비유하여, 코칭을 인간 내면의 잠재력을 퍼 올리기 위한 마중물로 표현한 것이 참으로 찬탄을 금치 못하게 하는 명구名句라고 생각한다.

영국의 코칭 창시자이며, 젊은 시절 전영全英, 전유럽 카 레이싱 챔피언 존 휘트모어 경이 내한했을 때 그를 만난 적이 있었다. 그는 코칭이 스스로의 인식Self Awareness을 끌어내는 것부터 시작된다고 말한다. 이 인식이 책임의식Responsibility과 연결되고, 자발적 행동을 유발하게 되며, 자신감을 얻게 되는 선순환善循環을 이루게 된다는 것이다. 카 레이싱의 실전에서 깨닫게 된 자신의 지혜를 기업경영에 활용해 보자고 마음 먹은 데부터 코칭이라는 프로세스가 시작되었다는 설명이다.

미국의 코칭이 어떻게 시작되었는지에 대한 명확한 기록은 잘 모르지만, 미국에서 활동하고 있는 코치의 상당수가 명상센터 Meditation Center 출신인 것은 매우 흥미롭다. 미국 사회가 겉으로 풍요를 누리고 있는 것처럼 보이지만 실은 깨어진 가정과 가족 가치 위에 서있다는 사실을 바라보면 어쩌면 그것은 필연이었는지도 모른다.

내면의 상처trauma를 치유하기 위해 과거 여행을 하는 심리학적 치료 대신에 많은 정상적 미국인들이 코칭을 선택하고 있는 것은, 코칭이 스스로에 대한 긍정적 인식을 통해 밝은 미래를 추구하고 이를 확장함으로써 과거의 트라우마를 사소한 것으로 만들고 오히려 자신의 자산資産으로 바꾸어 줄 수 있도록 도와주는 프로세스이기 때문이다.

상대방의 마음을 열게 하는 친절하고 끈기 있는 경청傾聽과 현명하고 열린 질문을 통해, 상대방이 스스로 자신을 바로 보는 것을 돕는 것, 그리하여 자신이 가지고 있는 잠재력을 끌어내어 행동하게 도와주는 것, 이것이 '코칭'이라고 이야기 하면 별로 틀리지 않는다. 코칭은 상대방의 존재being에 다가가 이에 접촉하는 행위이며, 그러기에 경청·질문의 기술에 앞서 상대방을 연민으로 바라보는 간절한 마음Loving Kindness이 그 기본이 된다고 하는 것이다.

삶 자체가 감동적인 교훈이었던 성현들의 기록을 음미하면, 중생에 대한 그들의 간절한 연민이 그들로 하여금 큰 스승의 자리에 나아가지 않을 수 없는 숙명이 되었음을 발견하게 된다.

"내가 그대들에게 가르침을 준 적이 있었더냐?"는 부처의 금강金剛과 같은 질문이 중생계의 무명無明을 뿌리 채 잘라내 중생으로 하여금 자신이 이미 이룬 부처임을 깨닫게 하는 작용을 눈 여겨 살펴보라. 일찍이 부처야말로 중생의 위대한 '코치'였던 셈이다.

장미를 다른 이름으로 불러도 그 향기는 변하지 않는 것처럼, 위대한 스승을 '코치'라고 불러도 그 가르침의 울림은 변하지 않는다.

존중의 리더십은
'신뢰성' 갖춰야

리더십의 원천

남편이 열을 올리는 이야기 가운데 가장 재미없는 이야기가 무엇이냐고 아내들에게 물어보면 "군대 가서 축구한 이야기"라고 한다고 어느 개그맨이 말하는 것을 들은 적이 있다. 열 올려 침 튀겨 가며 하는 얘기이지만 정작 공감적 대상의 체험이 없는 아내들에게는 그처럼 우스꽝스럽고 지루한 이야기가 없다는 것이다. 남편이 사내구실 놓지 않고, 돈 잘 벌어들여 가계를 책임지는 동안은 참고 들어 준다. 하지만, 어느 날 문득 깨닫고 보니 쭈그렁바가지, 백수 신세인데다 아이들도 잘 구슬려 내 편을 만들었다 치면, 이런 이야기를 더 이상 참고 들어줄 요조숙녀는 잘 없다는 것이 통설이다. 그러니 허울 좋던 가장의 리더십 그 원천과 실체는 무엇이었을까?

아내들에게는 인기 없는 군대 이야기로 되돌아가서, '선착순', '앉아 번호', '동작 봐라!' 등의 구호가 무엇인지를 몸으로 배웠던 남편들에게 리더십의 원천이 무엇이냐고 물어본다면 응당 폭력에 대한 두려움이 그 원천 중 하나라고 입을 모을 것이다. 땅거미 어둑어둑 드리울 무렵의 46년 전 용산 역두驛頭, 논산 가는 입대 장정들 대열 속에 쭈그리고 앉았던 필자의 체험을 더듬어 보면, 그 수많은 잡동사니 병력 자원을 인솔하는 몇 안 되는 훈련소 기간 사병들이 발휘했던 엄청난 리더십의 원천은 미지未知의 폭력에 대한 공포였던 것이 분명하다.

리더십의 결과로서 나타나는 구성원Follower의 성과도 의당 이와 같은 법칙을 따른다. 피난국민학교 시절에 어머니에게 등 떠밀려 다녔던 서당에서, 회초리 맞아 가며 뜻도 모르고 외우던 천자문千字文. 그 별칭인 백수문白首文의 유래를 예로 들어보자.

누구나 잘 아는 천자문, '하늘 천 따 지' 이렇게 읽고 배웠지만 실은 '천지현황 우주홍황天地玄黃 宇宙洪荒: 하늘은 검고 땅은 누르며, 우주는 너르고 거칠다' – 여기서 우宇는 공간, 주宙는 시간이라는 철학적 의미도 있다고 훗날 배웠다 – 이렇게 운율을 붙여 읽어야 하는 사언고시四言古詩라고 한다.

필자 선배 중에 창설 당시의 KIST 화공연구실장 소임을 맡다가 젊어서 돌아간 천재 박사 한 분이 있었는데, 연구실 벽에 사진 하나를 붙여 놓았던 것이 기억에 선명하다. 소유즈였는지 아폴로였는지는 기억나지 않지만 아무튼 초기 인공위성에서 찍어 보낸 지구의 사진이었는데, 글자 그대로 하늘은 깊이를 모르는 현현玄玄한 어둠, 땅은 '초록색 섞인 황색靑綠'의 구球로 천지현황天地玄黃이 역력하였다. 그 사진을 보면서 서로 의미심장하게 웃으며 우리가 나누던 말이 이것이다.

"아마도 천자문의 저자中國 梁의 周興嗣는 그의 사유 속에서 지구와 우주의 이러한 모습을 보았던 것임에 틀림없다."

그랬을지도 모른다. 임금이 당시 천재로 명성이 자자하던 주흥사周興嗣를 잡아들여 가두고는 명했다는 것이다.

"오늘 밤 안으로 일천 글자千字를 사용하여 사언시를 짓되 단 한 자라도 중복이 있으면 너는 죽은 목숨이로다."

불후의 명문名文인 천자문 250 수首는 그런 강압적 환경 하에서 써졌다는 것이다. 오죽하면 그 하룻밤 사이에 젊은 주흥사의 머리가 호호백발이 되어버렸다 하여 천자문을 '백수문'이라는 별칭으로 부르기도 한다는 것이다.

폭력에 뿌리를 둔 리더십이 작용하여 뛰어난 성과를 이룬 예라 하겠다.

여의도에 출퇴근 하던 직장 시절, 늘 주변이 복잡하고 시끄러웠는

데 사무실이 국회, 정당 사무실 부근에 위치했던 까닭이 컸다. 이 다양하고 분주한, 때로는 투쟁적인 목소리들을 모으고, 이끄는 리더십의 원천은 무엇이었을까? 이념, 국가관, 정의, 애국심 등이 주축이 되는 동기가 아니라고 할 수는 없었지만 그 표피를 한 꺼풀만 벗기고보아도 거기에는 치밀한 이해관계의 그물이 보였던 것이 기억난다. 이러한 리더십 네트워크 구조가 꼭 정치가, 정상배政商輩들의 전유물만도 아니었던 것이 '김밥 말기손 비비어 아첨하는 모양을 흉내 낸 말'에손금이 다 없어져버렸다는 말이 만들어지고 유행하던 곳이 다름 아닌 우리 모두가 목숨 걸던 직장이었기 때문이다.

　폭력과 더불어 이해관계를 리더십의 원천으로 보는 또 하나의 분명한 시각이다.

　이처럼 일차원적 함수관계를 가지고 폭력이 작용하면 리더십이 생겨난다거나, 이해관계가 사라지면 리더십이 소멸한다거나 하는 즉물적 현상과는 차원을 달리하여 오래가는 리더십이 또 하나 있는 것은 누구나 부인하지 못할 것이다. 이른 바 신뢰와 존중의 리더십이라 부르는 것인데, 그 원천이 되는 키워드는 두말할 것도 없이 신뢰와 신뢰성Trustworthiness이다. 신뢰의 리더십이란 신뢰성을 스스로 갖춘 사람에게서만 생겨날 수 있는데, 그렇다면 신뢰성이란 무엇이며 어떻게 하면 갖추어지는 것일까? 리더십 교과서에서는 '좋은 성품'과 '탁월한 역량'을 동시에 갖출 때 신뢰성이 형성된다고 하여, 필자도 두 가지 측면에서 심각하게 스스로를 돌아본 일이 있었다. 더 풀어서 좋은 성품으로는 성실성Integrity, 성숙성Maturity, 풍요의 심리Abundance Mentality를 들기도 하고, 탁월한 역량으로서 기술또는 기능적 능력, 개념화 능력, 창의력 등을 거론하기도 한다.

　현실의 장에서는 원천이 다른 리더십의 여러 형태가 섞여 작용하여 리더와 구성원의 자기기만Self-deception과 엉키는 것을 자주 목격할 수 있다. 좋은 코치의 역할은 엉킨 실타래를 잘 풀어 고객이 스스로 신뢰성을 갖추어 나가도록 도와주는 일이다.

　영어로는 신뢰를 Trust라는 단어로 표현하나, 순수한 우리말로는 믿음이 좋은 말이다. 믿음이라는 영어 표현이 종교마다 다르게 사용되고 있는 점이 또한 흥미롭다. 예컨대 기독교에서는 Trust in God, Belief 또는 Faith라는 단어를 사용하여 보지 않고, 따지지 않고 믿는 믿음을 강조하나, 불교에서는 오직 바로 보고 바로 아는 것으로부터 유래하는 확신, Confidence와 Conviction을 말하고 있다.

　손 안에 쥔 보석의 비유를 사용하여, 주먹을 쥔 채 그 있음을 믿으라 하느냐, 손을 펴서 보석을 보여 주어 그 있음을 알게 하느냐의 차이가 당시 인도의 자이나교 등 타 종교와 불교의 차이점이라고 밝힌 옛 팔리Pali 불서佛書의 인용구가 리더십의 원천과 점철되어 문득 생각난다.

자동실행
프로그램을 멈추라

멈춤과 선택

우리는 프로그램 되어있다.

인간에게만 자아인식, 상상력, 양심, 독립의지 이렇게 천부天賦의
네 가지 능력이 있다고 하는 오만한 서양 이론도 있기는 하지만, 대
체로 우리는 프로그램 된 대로 외부에서 오는 신호와 자극에 대응한
다. 다윈 학자는 이것이 인류인 우리를 살아남게 한 유전적 입력의
축적이라고 말할는지 모른다.

이 프로그램의 작동을 가끔은 멈추어 보자는 것이 자기 리더십
Self-Leadership의 시동始動이자 코칭의 기본적 접근방법이며, 주도
성Proactivity이라는 단어로 표현된다. 프로그램의 자동 실행이 멈추

어져야 우리는 우리 스스로가 이 모든 것의 주인공인 프로그래머라는 진실에 생애 처음 마주치게 된다. 멈추어 바라보아서, 지금까지 실행되어 온 것 외에도, 준비되어 있는 여러 프로그램의 패키지가 있음을 발견하고, 그 중에서 새롭고 의미 있는 프로그램을 선택, 실행할 수 있게 되는 것이다.

삶이라는 것이 B로부터 D를 향하여 가는 것이라고 본다면 거기에는 필연적으로 C라는 과정이 있다는 서양 코치들의 말장난이 있다. B는 태어남Birth, D는 죽음Death. 그렇다면 C는 무엇인가, Choice, 즉 선택이라는 것이다.

Stop, Think, Choose.
"내 삶은 내가 선택한다."
나 아닌 다른 존재 또는 환경에 의하여 내 삶의 선택권을 빼앗기지 않겠다는, 자기리더십 첫 번째의 습관이다.

뇌성마비로 생의 기로에 섰던 일곱 살의 한경혜 양에게 성철 스님과 그녀의 어머니라는 두 분의 코치는 하루 천 배拜 수행이라는 선택지選擇枝를 열어 보여주었다.
"사지四肢가 너덜너덜한 그 모습, 그것은 절이라고 볼 수도 없었다. 머리가 한 번 바닥에 닿으면 그것을 일 배로 계산하곤 하였다."
당시 그녀가 절하는 모습을 옆에서 지켜보았던 사람들의 회상이

그녀의 자전적 기록《오체투지五體投地》에 실려 있다.

　2년 전쯤 내가 만났을 때, 말끝이 조금 어눌하고 악수하는 손가락 끝이 다소 부자연할 뿐, 그녀는 환한 미소와 튼실한 신체를 지닌 31세의 동양화가였다. 그날 아침도 23년을 하루 같이 천 배의 일과를 수행하고 와 우리 앞에 서서, 하루 만 배 체험의 실화와 시각장애자를 인도하여 히말라야를 트레킹 하던 이야기를 남의 얘기처럼 여유

있게 들려주었다. 그 곳에 모였던 우리 모두가 그녀를 승리자로서 만나고 박수를 보낸 것은 너무나도 당연한 일이었다.

뇌성마비로 꼼짝달싹 할 수 없이 프로그램 된 것처럼 보였던 일상을 어느 날 멈추고, 그녀가 바른 선택을 함으로써 이룩한 믿을 수 없이 놀라운 결과이다. 그녀는 마음이 현상 세계를 만든다는 법칙을 웅변으로 설파하는, 살아 있는 증거가 되었다.

2007년 8월 26일, 미국 카네기 멜론 대학의 컴퓨터 사이언스 교수, 당년 47세의 랜디 포시는 세 장의 MRI 사진과 함께 믿을 수 없는 최후통첩을 받았다. 일 년 전 췌장암을 수술하고 치료 받고 있었으나, 암은 호전되지 않고 이미 여러 장기에 전이되어 있어, 그에게 남은 기간은 짧게는 한 달, 길어도 몇 개월을 넘지 못한다는 선고였다. 그는 어린 세 아이의 아버지이고, 사랑하는 아내의 남편이며, 컴퓨터와 관련된 많은 성공적인 연구를 추진하던 중이어서, 이런 선고를 불평 없이 받아들일 형편이 아니었다.

구동이 멈추어진 일상의 프로그램 앞에서, 어려운 일이었지만, 랜디는 운명을 향하여 불평하거나 절망하지 않았다. 내가 어쩔 수 없는 일 때문에, 내가 할 수 있는 일까지도 소홀히 하지는 않겠다는 주도성Proactivity이 그 힘의 원천이었다.

그 누구도 자기를 동정하지 못하게 하겠다는 선택Choice, 남은 기간을 불평과 절망으로 낭비하는 것이 아니라 즐겁고 의미 있는 일로 채우겠다는 주도적 선택을 하게 된 것이었다. 그가 카네기 멜론 대학의 400명 청중 앞에서 한 '마지막 강의The Last Lecture'의 동영상이 'You튜브'를 타고 전 세계에 유포되어 이미 수백만 어쩌면 앞으로 올 세대를 포함하여 수천만 세계인의 심금을 울리게 될 그의 위대한 유산Legacy으로 결실되었다. 오프라 쇼에 초청받은 그는, 이 강의는 대학 강당에 모였던 청중에게 한 것이 아니라, 실은 미래에 성장하여 이 강의를 시청할 자신의 세 아이를 대상으로 한 것이었다고 고백하여 시청자의 눈시울을 다시 한 번 뜨겁게 했다.

암에 의한 돌연한 멈춤과 자신에 대한 주도적 성찰이 아니었더라면, 랜디 포시 교수는 어쩌면 선택할 기회를 차일피일 미루다가, 이번에 그가 살고 간 것보다 두 배 길이 좀 못 미치는 평범한 생애를 살고 나서, 특별한 유산을 남기지 못하고 돌아가는 많은 사람들 중의 하나가 되었을지도 모른다.

《성공하는 사람들의 7가지 습관》을 저술하여 미국과 전 세계에서 가장 영향력이 큰 리더십 컨설턴트 중 하나로 자리매김한 스티븐 코비 박사는 낭비 없는 효과성 높은 삶이란 우리의 가치관이 원칙에 접근하여 이와 일체가 될 때 완성된다고 말한다. 우리가 주도적으로 하는 선택은 언제나 우리 각기의 가치관을 그 선택기준으로 삼고 있으나 선택의 결과는, 아이러니 하게도 우리의 가치관과는 별개로, 원칙을 따라 귀결되기 때문이다. 여기서 원칙Principle은 변하지 않는 상도常道 또는 진리Truth의 또 다른 표현이다. 가치관이란 우리가 세상을 바라보는 주관적 패러다임에 근거하여 선택한 신념이기 때문에 언제나 아상我相에 의해 얼마간 비틀려 있게 마련이다.

　불교의 최상승 경전이라는《법화경》의 '비유품'에는 불타는 집 '화택火宅' 안에서, 닥쳐오는 위험을 모르고 놀이에 빠져 놀고 있는 귀한 자식들을 안전하게 구해 내기 위해, 아버지인 장자長者가 아이들이 놀이를 멈추고 새로운 선택을 하게 하는 방편으로써, 세 대의 멋진 장난감 수레를 제시하는 장면이 나온다.
　코칭의 뿌리를 보여주는 오래된 사례이다.

성현의 가르침과
코칭이 만나다

고현숙 한국리더십센터 사장

허달 코치의 글은 우리 마음을 맑게 하는 향기를 지녔다. 그 스스로도 어느 코칭 워크숍에서 자신의 삶의 목적을 기술하는 장면에서 '맑고 향기롭게'라는 구절을 떠올렸다고 했는데, 이 책은 읽는 사람이 무엇인가를 성찰하도록 하는 여운을 향기처럼 길게 남긴다.

코칭과 멀리 있는 것 같아 보였던 성현의 가르침이 결국 이렇게 상통하는 것이었나, 하는 경이의 마음으로 나는 이 글들을 읽었다. 자신과 모든 것들의 관계에 대한 고찰, 자신이 보는 관점을 의식하는 깨어 있음, 자기중심성과 단절을 극복하고 원래 자리에 마땅히 있어야 할 연결을 회복하라고 촉구하는 필자의 생각이 전편에 걸쳐 잘 드러나 있다.

현대는 지식정보의 시대에서 지혜의 시대로 나아가는 전환기이며, 세분화된 전문성에서 통합적인 앎과 깨달음으로 나가는 통섭의 시대이다. 그런 흐름에서 여기 실린 글들은 인문학적 사유를 배경색으로 하고, 리더십과 코칭을 씨줄과 날줄 삼아 지어낸 섬세한 비단과 같이 아름답다. 중간 중간 유머와 여유를 느끼게 하는 촌철살인의 예화들과 비유들은 또 얼마나 멋진가? 수많은 고전에서 인용된 구절들은 나 같이 옛 글에 과문한 사람에게는 우아한 난향을 맡는 것 같이 향기로웠다.

코칭을 제대로 하려면 무릇 눈앞의 과제나 목표를 해결하는 데 급급할 것이 아니라, 코치 받는 사람의 전인적 성장을 추구해야 한다. 그런 면에서 이 글은 고객에게 성장이라는 결실을 맺어주는 코치의 비옥한 토양이란 어떤 것인가를 낮고 편안한, 설득력 있는 목소리로 들려준다.

개인적으로 허달 코치는 나의 존경스러운 선배이자, 삶의 멋과 여유를 아는 매력남이다. 한국 사회의 엘리트로, 성공적으로 대기업에서 커리어를 쌓았고, 공부와 수행을 많이 한 허 코치님은 거기에 더해 겸손함과 호기심을 갖추어서, 언제나 배우기를 좋아하고 유머가 넘친다. 저자의 인간적 향취를 느끼는 즐거운 여정이 될 이 책을 꼭 소장하고 되풀이해 읽으시기를 권한다.

삶의 통찰과 품격을
혼융한 유려한 산문

❖ **김광규** 시인, 한양대 명예교수 ❖

벌써 오래 전의 일이다. 자기 회사 사보에 실린 글에 졸시 '뺄셈'의 일부를 인용했다고 허달 회장이 전화를 했다. 인용한 시의 몫까지 원고료를 받았으니, 술 한 잔 나누자는 내용이었다. 그날 허달 회장과 만나 여러 곳을 옮겨 다니며 포도주를 통음했던 기억이 새롭다.

현대불교신문에 연재했다가 이번에 단행본으로 출간되는 그의 칼럼들 속에도 졸시 한두 편 인용된 듯하니, 이번에도 또 한 차례 포도주를 마시게 되지 않을까.

그와 나는 서울의 서촌, 그러니까 통인동, 통의동, 옥인동, 누상동, 누하동 등 조그만 동네들이 밀집해 있는 종로구의 인왕산 밑에 이웃해 살면서 서울중·서울고등학교 6년을 함께 다닌 친구다. 고등학교 시절에는 그도 나도 글을 써서 함께 교지에 실리기도 했다.

졸업 후 그는 공과대학으로 가서 엔지니어·경영인이 되었고, 나는 문리대를 나와 평생 가르치고 글 쓰는 일을 지속해온 독문학자·시인이 되었다.

서로의 길이 달라져 한동안 적조했었는데, 그 동안 써온 칼럼들을 모아 책을 펴낸다니, 뜻밖의 반가운 소식이다.

나는 불교를 깊이 알지 못할 뿐 더러, 저자가 이 책에서 불교와 연결을 꾀한 '코칭'은 내게 생소한 분야이기 때문에, 호기심을 가지고 그의 연재 칼럼들을 읽기 시작했다. 한 편씩 읽어 나가면서 차츰 코칭의 의도와 성과를 인식하게 되었다. 땅 속의 지하수처럼 인간의 내면에 숨겨진 무한한 잠재력을 끌어 올리는 마중물의 역할을 맡은 사람이 바로 '코치'라는 것도 어렴풋이 깨달았다.

여기에 실린 38편의 칼럼을 통하여 저자는 불교와 코칭이라는 전문성 강한 주제를 다루고 있다. 그 속에 자신이 살아온 삶의 깊은 통찰과 향기로운 품격을 혼융하여, 유려한 문체의 산문을 써 내는 데 성공하였다.

이 책이 자기계발서의 형태로 출간된다고 하지만, 내가 보기에 이 글들이 수준 높은 문학적 소양을 갖춘 에세이 장르에 속한다는 점에서, 많은 독자들이 아껴 읽고 그 안에 담긴 소중한 조언에 귀 기울이기를 권하고 싶다.

잠자는 사자를
깨워라

내면의 잠재력 퍼올리는
코칭, 그 마중물의 힘

| 제2장 | 이것이 코칭이다

자기완성의 과정이
남에게 이익되도록 설계

코치의 사명

'승勝-승'이라는 말을 아주 쉽게 하는 사람들이 많다.

승-승을 '까짓 것 내가 져주면 그만이지' 하는 '패敗-승' 쯤으로 쉽게 여기기 때문에 생기는 일이다. 그러나 명심하여야 할 일은 패-승으로는 시너지를 키워드로 하는 상호의존성의 세계에 결단코 접근할 수 없다는 점이다.

내가 진행하는 리더십 과정에서 사용하는 자료에는 과학적인 측정의 결과가 제시되어 있다. 규격이 정해진 나무판자 한 장이 지탱하는 최대 하중이 275kg일 때 동일한 판자 두 장을 포개어 사용하면 얼마까지의 무게를 지탱해 줄까? 이 경우 실험 결과는 최대 하중이

두 배인 550kg이 아니라 물경 2,210kg까지 늘어난다는 것을 보여준다.

철새인 야생 거위는 먼 거리를 이동할 때 무리를 지어 꺾쇠 모양의 대형을 유지하며 날아간다. 누구나 잘 아는 일이지만 놀라운 일은, 거위가 이 편대비행을 통해 홀로 날 때보다 1.7배 더 빠르게 난다는 것이다. 꺾쇠 대형으로 날면 유체 역학적流體力學的으로 양력揚力이 생겨, 앞의 거위가 날고 난 자리에는 뒤따르는 거위의 힘을 덜어주는 공기의 흐름이 생겨난다는 것이다.

그래서 전 구성원이 상대적으로 가장 힘든 선두의 리더 자리를 순번대로 차례로 맡아 무리의 이동 속도를 높인다는 것이다.

철새가 철마다 옮겨 다니며 사는 것은 생존을 위해서인데, 목적지에 다다르는 시간을 빠른 이동 속도만큼 단축할 수 있다면 생존의 기회는 그만큼 높아질 것이다. 자연 속에 존재하는 귀중한 시너지의 지혜를 야생 거위가 찾아 활용하는 실례이다. 리더가 군림君臨하는 자리가 아니라 봉사奉仕하는 자리인 까닭에 그 시너지가 발현되는 점 또한 시사示唆하는 바가 크다.

시너지는 자연법칙이니 의당 인간계에도 적용되는 것이 마땅하다 할 것이다. 실제로 여러 사람이 모여 한 마음으로 목표를 정하여 매진하면 초인간적인 폭발적 시너지가 발휘되는 사례가 많이 있다.

그러나 인간관계의 또 다른 사례들에서는 역逆시너지가 작용하는 경우도 많이 보고되어 있다. 타 부서의 직원을 사정사정 빌려다가 사업추진팀을 만들고 목표를 공유하려고 공을 들였는데도, 결국은 차라리 내 부서의 맘 맞는 구성원 몇 명과 단출하게 일을 추진하는 것이 백 번 나았을 것이라고 하소연하는 팀장들을 자주 보았다.

무슨 이유에서일까? 따져보면 크게 세 가지 이유를 들 수 있다.

첫째는 구성원 각자의 이기심이다. 공명심, 시기심, 남의 발목을 잡는 행위, 무관심, 게으름, 편 가르기, 따지고 보면 이 부류의 모든 시너지 장애요소 밑바닥에는 이기심이 깔려있음을 발견할 수 있다.

둘째는 불완전한 커뮤니케이션이 갖는 문제점이다. 인간은 자신의 생각을 언어, 표정, 몸짓 등의 부호로 바꾸어 의사소통한다. 이 부호 체계가 불완전할 뿐만 아니라, 때로는 부호를 사용하는 주체를 떠나 독립적으로 개념을 형성하여 자유로운 사고를 제약하기도 하고, 의사소통을 의도적이든 우발적이든 왜곡하는 일이 얼마든지 일어나게 된다. 조지 오웰의 소설《1984년》에 이러한 모습들이 우화적으로 그려져 있지만, 이것을 우화라고 웃어버릴 수 없는 의미심장한 일들이 우리 주변에서도 요즈음 매일 같이 일어나고 있다.

쌍방이 다 좋은 의도로 합의된 목표를 갖고 시작하였으나, 결국 문화충격과 의사소통의 문제를 극복하지 못하여 실패로 돌아간 합작사업을 필자는 여러 번 경험한 바 있다.

셋째는 차이점을 인식하는 시각의 문제이다. 특히 우리말은 '다르다'와 '틀리다' 두 서로 다른 개념을 혼동하여 사용하는 경우도 있어서, 차이점을 인식하는 지각知覺 자세에 영향을 미치고 있는 정도

가 심각하다 할 것이다. 차이점을 인식하는 태도에는 '참는다', '인정한다', '존중한다', '환영하며 축하한다' 등 여러 가지가 있다.

종합하면, 시너지는 단기적 성과를 독점하고 싶은 이기심을 장기적 이익을 추구하는 승-승 마인드로 승화하고, 공감적 커뮤니케이션을 통해 언어 등 의사소통 도구의 불완전성을 극복하면, 저절로 생겨나는 자연의 선물이므로, 차이점을 축하celebrate하는 태도를 갖추어 이를 받아 지니라는 것이다.

승-승은 나누어 줄지 않는 가치를 추구하도록 설계하여야 성공률이 높은데, 이를 위해 "처음에는 내가 져줄게, 너도 양보해봐" 하고 패-승을 처음 단계로 선택하는 일이 많다. 그러나 결국 승-승을 이루지 못하고 나의 양보로 끝나고 마는 경우, 의도는 좋았다 하겠으나, 그것 역시 패-승일 따름이다. 심지어는 그 희생정신을 기려야 할 것이 아니라, 오히려 비난받아 마땅하다는 관점도 성립한다. 승-승을 통해 발현될 수 있는 시너지 창출 기회를 무산시켰기 때문이다.

코치는 이에 개입하여 모든 인간관계를 승-승으로 만들고자 하는 높은 목표를 지향한다. 함께 워크숍을 진행하는 고수高手 코치의 사명서를 잠시 들여다보았더니 아래와 같은 구절이 눈에 뜨인다.

'누구에게나 이익을 주고 그것으로 나의 기쁨을 삼는 삶을 살겠다.'
'끝없는 자기완성의 과정이 남에게 이익이 되도록 설계한다.'
'깨어 있는다.'

성현의 가르침인 '자리이타自利利他'를 어떻게 실현하여야 할 것인가, 코치에게는 코칭이 그 답이 된다.

주어진 시간,
소중한 일부터 실행하라

우선순위의 설정

랜디 포시 교수의 '마지막 강의' 이야기를 좀 더 해보기로 한다.

시한부 인생을 선고 받았을 때, 그에게는 어떤 생각이 떠올랐을까? 남은 시간들을 즐겁고 의미 있는 일들로 채우기로 주도적인 선택을 했을 때, 아마도 여러 가지 해야 할 일들이 머릿속에 떠올랐을 것이다. 특히 마지막 강의를 준비하는 시간은 매우 뜻 깊고, 높은 우선순위의 시간이었을 것이다. 세 아이가 자라서 이 강의의 기록을 보게 될 것이라는 생각을 하면서 그가 준비했을 한 구절 한 구절은 어쩌면 세상에서 가장 감동적인 눈물을 수반한 것은 아니었을지. 아이들은 자신의 일부라고 늘 생각해 왔지만, 시한부 삶의 선고는 산 자와 죽은 자 사이에 존재하게 될 냉엄한 간극을 뚜렷하게 만든다. 내가 사라지면 무엇이 남는가? 관계가 남을 뿐이다. 그러고 보니 소중한 것은 모두 관계 속에 존재했었다.

콜 센터에 근무하는 여직원들에게 물어보니, 8시간의 근무 시간이 모두 위기관리의 연속이라고 한다. 대부분의 고객은 이미 대화가 시작되기 이전에 감정이 폭발 단계까지 올라 있어 아주 작은 불친절도 용납하지 않는다는 것이다. 긴장의 연속을 완화하기 위해서 직원들은 스스로의 마음을 관리하는 기법을 위시하여 고객의 마음을 가라앉히게 하는 여러 가지 기법을 교육받고 실행한다.

위기관리 하면 머리에 떠오르는 119 대원의 위기관리 시간은 근무 시간의 몇 %나 될까? 우리나라의 경우 대체로 5% 수준이라는 것이 통설이다. 그렇다면 나머지 95%의 근무 시간은 무엇에 사용하는가? 예방, 점검, 계획, 훈련, 기술개발, 출장교육 등에 투입한다는 것인데, 이 시간을 어떻게 잘 쓰느냐에 따라 위기관리에 투입되는 시간이 줄어든다는 것이다.

일과 나의 관계를 잘 정리해 두어야 높은 효과성을 유지하는 것이 가능하다.

우리의 삶을 지속되는 위기로 둘러싸이게 놓아둘 것인가, 창조적 긴장과 재충전의 리드미컬한 반복이 있는 나선형 상승으로 발전시켜 갈 것인가는 전적으로 자신에게 달려 있다. 소중한 것을 먼저 하는 우선순위 설정의 습관을 실행하고, 체면치레, 인기관리 등 마음에 솔깃한 여러 일에 대해 단연코 "No!" 하는 주도성이 필요하기 때문이다.

그렇다면 소중한 것을 어떻게 결정하고 어떻게 그것부터 실행하는 삶의 패턴을 만들 수 있을까?

워크숍을 진행할 때에는 참여자들에게 이를 직접 물어보게 된다. "당신에게 소중한 것을 다섯 가지만 써본다면?" 또는 "여분의 시간이 하루 세 시간씩 주어진다면 어떤 일을 할 것인가?" 하는 질문이 그것인데, 이 글을 읽는 여러분 스스로에게 질문해 보시라. 틀림없이, 가족, 친구 등 소중한 사람과의 시간 갖기, 건강관리, 여행, 명상이나 나만의 시간 갖기, 부모님 찾아뵙기, 봉사활동 하기 등의 일들이 소중한 일 목록의 주류를 이룬다. 돈을 이야기하는 사람도 있는데, 더 들어보면 돈 자체보다는 위에 열거한 소중한 일들을 할 수 있도록 경제적 여유를 확보하여야겠다는 생각이 대부분이다.

소중한 것들의 목록에 올라간 일들은 어떤 공통점을 갖고 있는가? 이들은 모두 관계를 새롭게 하고 강화하는 일에 관련되어 있다. 일과 나와의 관계, 내 안에 있는 나와의 관계, 그리고 나와 남의 관계를 끊임없이 쇄신하는 일들이다.

이것들이 소중한 일이라면, 주어진 시간에 이것들부터 먼저 하라는 것이 코치가 하는 제안이다.

어느 것이 소중한 일인지 그 우선순위를 결정하는 것은 본인의 가치관이다. 때때로 가치관이 변하기도 하는데, 그것은 그 가치관이 변하지 않는 원칙과 충분히 접근해 있지 않기 때문이다. 그것을 지적해주는 일도 코치의 몫이다.

초등학생 아들을 키워본 직장인이면 누구나 경험해본 일이다.

아침에 출근하려는데, 아들이 부른다.

"아빠, 오늘 일찍 들어와서 나하고 축구해야 해."

"그래, 일찍 들어올게."

대답이야 선선하다. 녀석이 기특하고 사랑스럽다. 저렇게 아빠와 놀아달라고 조르는 것도 지금 한때뿐이 아니겠나 하는 생각도 들게 마련이다.

그러나 세상살이는 그렇게 간단치가 않다. 퇴근 시간이 가까워 오자 옆 사무실의 동료 사원에게서 전화가 온다.

"김 대리는 좋다는데, 셋이서 소주 한잔 어때? 오늘은 내가 쏠게."

'아들과의 약속을 지켜야 하는데….'

제일 먼저 떠오르는 생각sense/feel이다.

'축구야 내일 해줘도 되지 뭐, 저 친구들과 술 마신지도 꽤 됐지 아마….'

자기배반Self-betrayal의 순간이다.

'술 마시다 보면 무슨 중요한 얘기가 있을지도 몰라. 게다가 짠돌이 저 녀석이 모처럼 쏜다는 건데, 이 기회를 놓치면 그야말로 손해지. 아들, 오늘은 공부하고 내일 축구 하자. 그러고 보니 이 녀석 공부는 안하고 너무 축구 같은 노는 데만 정신을 파는 것 아닌가?'

자기기만Self-deception이 이어진다.

아빈저 인스티튜트Arbinger Institute라는 리더십 연구기관에서 발간한 책자에 나오는 상황을 우리 현실에 맞게 각본화해 본 것이다. 원칙 위에 서있지 않은 가치관은 이처럼 취약하다. 우선순위를 바르게 판단하지 못하게 만들 뿐 아니라 스스로를 자기기만의 상자box 속에 가두어 버리는 것이다.

서둘러야 할 때는 서두르고, 침착해야 할 때는 침착한, 현자賢者는 참으로 행복하다. 그는 무엇이 중요하고 무엇이 덜 중요한가를 아는 자이기 때문이다.《장로계경》에 기록된 말이라고 한다. 어떤 것이 관계를 쇄신하여 깨달음에 다가가게 하는 소중한 일인가? 늘 선택에 앞서 우선순위를 설정해 볼 일이다.

내면의 잠재력 끌어줄 파트너

코칭의 철학

"절대로 답을 주지 말라"는 것이 코칭의 철학이라면 좀 우습게 들릴지 모른다.

그러나 바꾸어 말하면 아래와 같은 세 가지 원칙이 된다.

첫째, 모든 사람에게는 무한한 잠재력이 있다.

둘째, 사람들에게 필요한 해답은 그 사람 안에 있다.

셋째, 해답을 효과적으로 끌어내기 위해서는 파트너(코치)가 필요하다.

코칭은 답을 주는 것이 아니라 잠재력을 발휘하도록 도와주어 스스로 답을 찾아내게 하는 프로세스란 뜻이다.

첫 번째, 잠재력에 대한 적합한 예는 아닐는지 모르지만, 요즘 젊은 엄마들의 대단한 이야기 하나.

신문에 난 한자 신동, 아홉 살에 한자 1급 자격을 획득하고 영어 TOEIC 시험마저 만점을 받았다는 어떤 아이의 얘기를 시어머니가 며느리 앞에서 꺼냈더니, 며느리가 정색을 하고 이야기하더란다.

"어머니 저는요, 애들을 천재로 키울 생각 없거든요. 자폐증 아이들이 어떤 특수한 부분에서는 천재 기질을 보인다는 보고서도 있다는데요."

입을 다물 수밖에 없었다는 것이다.

그랬거나 어쨌거나, 인간의 잠재력은 무한하다는 것인데, 실은 인간 내부에 내재한 능력이라기보다는 우주에 편만한 지식과 능력을 가져온다는 설도 많이 있다. 다만 어떻게 이를 가져올 것인가가 문제인데, 요즘 세간에 널리 읽혀진《시크릿》이라는 책에서는 '끌어당김 Attraction의 법칙'이라고도 하고, 또 훨씬 전 루퍼트 쉘드레이크 Rupert Sheldrake라는 진보생물학자가 '형태장에 대한 공명 현상 Morphogenetic Resonance'이라고 부르기도 한 것이 그것이다. 즉 간절히 원하고 이미 이루어졌다고 생각하면 어느새 이루어져 있다는 것이니, 불교에서 말하는 "원願을 세우면 이미 이루었다"는 부처의 가르침을 다른 이름을 빌어 재조명하고 있을 뿐이라 할 수 있겠다.

두 번째, 답은 그 사람 안에 있다는 말은 다소 설명이 필요하다. 이것은 바꾸어 말하면 답이 누군가에 의해 주어지더라도 그것이 자기 것이 되기까지는 해답으로서의 힘을 발휘하지 못한다는 뜻이다. 즉, 이른 바 '아하 모멘트Aha! Moment' 를 지나야 한다는 것이다.

"아하, 이걸 내가 왜 미처 못 생각했지?"

또는 "아하! 이건 내가 알고 있던 얘기잖아?"

하는 앎Awareness의 단계를 지난 뒤 비로소 문제에 대한 진정한 해답이 성립된다는 것이다. 음미해볼 만한 대목이다.

세 번째, 이것은 코치가 아닌 고객이 해주었으면 더 좋을 법한 이야기지만, 답을 효과적으로 끌어내기 위해서는 누군가 도와주는 사람이 있어야 한다는 것이다. 도와주는 사람의 능력이 뛰어나면 더 바랄 것이 없겠지만 그렇지 않더라도 고객의 잠재력을 끌어내는 역할만 할 수 있다면 된다는 것이니, 이것은 마치 헛도는 펌프에 부어넣을 깨끗한 마중물이 없을 때에는 비록 개숫물이라도 어쩔 수 없이 가려 부어야하는 상황에 비유하면 좋을 듯하다. 코칭이 마중물이라는 이야기는 아마 이런 관점에서도 비롯되었을 것이다.

코칭은 아무 때나 일어나는 것이 아니라, 코칭의 환경이 갖추어졌을 때 일어난다. 바탕이 되는 것은 코치와 고객 간의 신뢰인데, 이를 위하여 코치는 좋은 품성을 갖추도록 부단히 노력하며, 또 코칭에 필요한 기술을 연마한다. 코칭의 장에 이르러서는 고객의 신뢰를 확보

하기 위하여 여러 가지 노력을 하게 되는데, 고객의 리더십 또는 리더 패러다임 평가 결과 등을 함께 다루며 신뢰성의 재구축, 커뮤니케이션의 향상, 승-승의 각본 쓰기 등 공통의 관심사를 찾아낸다.

한편 고객은 스스로 발전하겠다는 의지를 갖추어야 하는데, 간혹 코치를 당황케 하는 것이 실은 고객의 태도이다. 기업 코칭의 경우, 코칭이 강점 신장을 추구하는 경영도구로 인식되기 시작한 최근 이전까지는, 코칭을 문제 있는 임직원에 대한 교정 작업으로 잘못 인식하여, "그럼 어디 코칭 한번 해보시지. 당신들이 전문가라며?" 하며 어깃장을 놓는 기업 고객도 심심찮게 만날 수 있었다. 고객이 코치의 노력에도 불구하고 코칭에 전혀 비협조적이거나, 또는 코칭의 범주를 벗어나서 의학적 진단과 치료를 요한다고 판단할 때는 코치가 이러한 의견을 솔직하게 개진하고 코칭을 유보하거나 중단하는 경우도 있다.

고객과 코치의 관계는 수평적 관계이어야 하며, 고객이 마음 놓고 자신의 내면을 들어내어 보일 수 있도록 편안한 관계를 만들어야 한다. 이 점을 강조하기 위해 코치는 가끔 엉뚱하거나, 멍청한 질문도 해야 한다고 하는데, 그러다가 신뢰를 잃으면 안 되니 쉬운 일은 아니다.

어미 날짐승이 품은 수정란 하나, 이 닫힌 생명계의 잠재력은 무엇일까? 그리고 그 잠재력은 누구의 주도 하에 누구의 도움을 받아 생명으로 탄생하는가?

선가禪家에서 쓰는 '줄탁동시啐啄同時' 라는 말이 의미심장하다. 줄啐, 탁啄 모두 날 짐승의 부리를 칭하는 한자어. '줄' 은 어린 병아리의 부리, '탁' 은 어미의 부리를 뜻한다고 하며 동사로 쓰면 부리로 쪼는 행위를 말한다. 수정란이 세포 분열을 통하여 그 닫힌 생명계 내에서 수십억 년에 걸친 생명진화의 과정을 압축진화하고 나면 마침내 병아리의 형태를 갖추어 부리를 알 껍질의 내벽에 쪼는 자세로 받쳐대게 되는데, 이때를 놓치지 않고 밖의 어미가 정확히 그 맞댄 자리를 쪼아야 껍질이 깨어지며 새 생명이 탄생하게 된다는 것이다.

선가에서는 진여眞如의 안팎 훈습에 의하여 무명 칠통漆桶: 가사袈裟를 담는 통. 지혜의 눈이 없는 사람을 꾸짖는 말이 깨어지는 '깨달음의 현장'을 은유하는 말로 쓰이지만, 고객의 주도 하에 코치의 도움으로 고객 내면에 있는 잠재력이 현실화 되는 코칭의 순간Moment of Coaching 도 이와 크게 다르지 않다 하겠다.

대화의 내용은
듣는 이의 태도에 달려

코칭의 언어학1 – **경청**

위키피디아 사전을 참고하면 북아메리카 원주민인 인디언들의 추장회의에서 Talking Stick이라는 막대를 사용하였다고 전해진다. 추장회의에 참석한 여러 부족장 중 이 막대를 잡은 사람만이 발언권을 가지며, 막대는 순차적으로 다음 부족장에게 넘겨져서 차례로 발언을 할 수 있도록 규칙을 정하였다는 것이다.

적어도 말을 듣는 사람이 상대방의 말을 언제 자르고 들어가 효과를 극대화하여 자기 의사를 표명할까를 생각하는 일을 방지하는 것만으로도 이 방법은 의사소통에 큰 효과를 보았을 것이다. 우리는 많은 경우 자신의 발언 차례를 기다리기 위해 남의 발언을 듣거나 또는 듣는 척 한다. 그렇지 않고 적극적 경청을 하는 경우에도, 자신의 잣대와 준거틀Frame of Reference을 통해 상대방의 말을 듣는 동시에, 자신의 자서전 속에서 이에 해당하는 경험을 꺼내어, 이로써 상대방에게 충고하려 하거나, 그 말의 의도를 탐색, 해석, 판단하려는 생각들이 머릿속에서 복잡하게 일어나며, 이것들이 알게 모르게 듣는 이의 반응을 통해 나타나게 되는데 이를 자서전적自敍傳的 반응이라고 말한다. 이 경우 듣는 이의 머릿속에 들어 있는 것은 '나' 뿐이라고 말해도 과언이 아니다.

말을 하고 있는 사람은 듣는 이의 이러한 자서전적 반응을 어떻게 느낄까? 자신이 이해 받지 못하고 있다고 느끼며, 대화에 대한 흥미를 잃어버리게 된다.

최근 워크숍에서 해보았던 재미난 게임 '휴가계획' 실험을 하나 예로 들어보자.

참여자를 두 명씩 짝을 짓도록 한 뒤에 가위 바위 보를 하게 하여 이긴 사람이 먼저 듣는 역할을 맡고, 진 사람이 말하는 역할을 맡는다. 말하는 주제는 '휴가계획'이다. 이번 여름휴가는 어떤 계획을 갖고 있는지 2분의 시간을 주고 이야기하도록 하는데, 게임이지만 지어내어 말하는 것이 아니라 진짜 계획을 성실하게 이야기하도록 말하는 이에게 다짐을 받는다.

게임의 하이라이트는 듣는 사람의 태도를 지정하는 것인데, '가급적 성의 없이 들으라' 는 주문이다. 이 게임 법칙이 공표되면 워크숍 장은 코믹한 분위기로 가득 찬다. 휴가 계획을 이야기 하는 사람은 진지한데 반하여, 듣는 이는 안경을 벗어 닦거나, 코를 풀던지 딴전을 피우면서 귀를 후비고 있는 짓궂은 장면을 연상해 보시라. 결국 주어진 시간 2분을 다 사용하지 못하고 1분도 채 지나지 않아 이야기 하는 분위기는 잦아들고 만다.

다음 학수고대하던 역할 교대가 일어나고, 말하는 역할을 맡았던 이들이 기어코 수모를 갚으리라는 복수의 전의에 불타지만, 그렇게 공평하지만은 않은 것이 인생, 가위 바위 보에서의 패배가 결정적인 한숨이 된다. 게임 법칙으로 이번에는 추임새를 넣어가며 열심히 듣는 역할이 듣는 이에게 부여되기 때문이다. 아쉬움과 탄성, 그러나 비록 처음에는 연출된 경청의 분위기로부터 시작되지만 대화는 곧 화기애애해져서 휴가계획 이야기는 정해진 2분이 다 지나도록 끝나지 않고 이어지는 것이 보통이다.

좀 과장된 방법을 사용하였지만, 대화의 내용과 질은 말하는 사람에 의하여 주도되는 것이 아니라 듣는 사람에 태도에 의하여 결정된다는 생생한 체험이다.

자서전적 반응에서 듣기를 주도하는 '나' 라는 준거틀을 '상대방' 즉 말하는 사람의 것으로 바꾸어 넣는 듣기 방법을 공감적 반응, 공감적 경청이라고 말한다.

동시 통역사의 듣는 방법이 그 대표적 예라고 하면 아마도 짐작이 갈 것이다. 숙련된 통역사는 어떻게 듣는가? 연사의 숨소리와 낱말 하나하나의 억양과 높낮이까지 통역에 반영하려고 세심한 주의를 기울여 듣는다. "이런 말은 해서는 안 되는데, 저런 표현은 오해의 여지가 있어서 안 되겠는데" 하는 자신의 생각이 작동한다면 그는 이미 통역사로서의 본령을 벗어나서 엉뚱한 다른 기능을 수행하고 있다고 할 수 있다.

공감적 반응을 보이면 말하는 이는 자신이 이해 받고 있다고 느끼게 되며, 드디어 마음이 열려 숨어 있던 화자話者의 주제가 드러나게 된다.

공감적 반응을 보이는 방법을 일종의 스킬로 보아 연마할 수도 있는데, 상담의相談醫들이 활용하는 흉내내기, 동의어로 바꾸어 반응하기, 말하는 사람의 느낌과 감정의 흐름을 성찰하고 표현하기, 반응 속에 침묵을 적절히 배치하기 등이 그러한 기법 중 자주 쓰이는 방법으로 코칭에서도 이 상담기술을 활용한다.

코치는 이에서 한 걸음 더 나가서 맥락적 경청contextual listening 을 하도록 훈련 받고 또한 끊임없이 스스로를 훈련 하는데, 이는 화자의 말과 의도, 느낌에 공감하는 능력은 물론 상대방의 언어 구조에서 발견되는 함의含意, 자주 쓰는 단어와 그 빈도수, 대화 부분 부분의 에너지 레벨까지 성찰하는, 이른 바 존재being에 접촉하여 고객과 함께하는 듣기 방법이다.

그러나 이 기술들의 밑바탕을 이루는 것은 역시 고객에 대한 깊은 연민Compassion이며, 그를 돕고자 하는 선한 친절Loving Kindness 이다. 연민이라고 표현하였지만 Compassion은 불교에서 자비심을 뜻하는 말의 영어 표현인데, 이웃 종교에서 사용하는 자비Mercy 와는 구별된다. Mercy라는 단어가 우월적 존재가 밑으로 내려주는 하향식 자비심임에 비하여 Compassion은 본질적으로 평등하고 연결된 관계 사이에서 일어나는 사랑과 연민을 뜻하는 수평적 자비심인 것이다.

자! 이제
어떻게 할래?

코칭의 언어학 2 - **질문**

2004년 오스카상을 휩쓴 클린트 이스트우드 감독 주연의 '밀리언 달러 베이비' 라는 영화는 매기라는 여자 복서와 프랭키라는 코치의 이야기이다. 향후의 선수생활을 좌우하는 중요한 경기에 임한 매기가, 적어도 두 번 상대방의 강타를 허용한 힘든 라운드를 싸우고 코너에 돌아와 스툴 위에 주저앉자, 코치와의 사이에 다음과 같은 대화가 진행된다.

매기: (상대가) 너무 강해요. 파고들질 못하겠어. 펀치를 먹일 거리까지 접근이 안돼요.
프랭키: 왠지 알아?

매기: 왜죠?

프랭키: 상대가 너보다 나은 선수이기 때문이지. 너보다 젊고,
너보다 세고, 경험도 많아. (잠시 침묵) 자, 이제 어떻게 할래?

공이 울리고 다음 라운드가 시작되자, 매기는 몇 초 지나지 않아
상대방을 매트 위에 쓰러뜨리고 승리한다.

권투 코치 프랭키가 이 장면에서 한 이야기를 기법이라는 측면에
서 고찰한다면, 이 기법은 열린 질문Open Questions이라는 코칭 기
법이다. 열린 질문은 발견 질문이라고도 하며 상대방을 생각하게 만
드는 질문을 말하는데, 쉽게 얘기하면 "예", "아니오"로 대답할 수 없
는 질문을 던지는 것을 말한다.

코치가 공감적 반응과 경청을 통하여 고객의 신뢰를 얻고 그의 마
음을 열게 만들면 고객은 코치의 질문에 대답할 마음의 상태를 갖추
게 되는데, 이런 때 코치는 열린 질문을 활용하여 고객의 생각하는
기능이 풀가동하도록 돕는 것이다.

앞의 예에서 프랭키가 여느 코치처럼, "왼쪽 가드를 올리고 오른쪽
으로 돌아."라든지 하는 기술적 조언을 할 수도 있었을 것이다. 그러
나 프랭키는 달랐다. "자! 이제 어떻게 할래?"라는 강력한 질문이 매
기의 존재Being에 작용하여 두뇌 회전을 가동시키고 경기의 패러다
임을 두뇌를 가진 복서와 두뇌를 갖지 않은 복서의 싸움으로 전환시

키도록 도운 것이다.

코칭에는 20/80의 룰이 있다. 코치와 고객의 대화 비율이 정량적으로 20/80을 넘어서는 안 된다는 것인데, 그 20을 이루는 코치의 대화 내용이 간결하고 열린 질문, 강력한 질문 등이어야 20/80의 비율이 성취된다고 하는 것이 올바른 표현일 것이다. 필자도 예외가 아니었지만, 코치 초년생들은 누구나 멋지고 감동적인 질문을 하여 고객을 매료시키려고 야심 찬 대화를 추구한다. 그러나 그 생각 자체가 이미 자기 중심적이어서 코칭의 주제를 고객이 아니라 코치가 주도하는 오류를 범하게 되는 것이다.

그러므로 열린 질문은 멋진 질문이 아니고 가장 보편적인 질문들이다. 고객이 사용하는 언어가 코치의 언어와 다른 경우가 자주 있는데, 유의하여야 할 점은 가급적 고객의 언어를 사용하여야 한다는 것이다. 고객이 사용하는 말에서 실마리를 얻어 여기에 의문부사를 적절히 붙여 질문을 만들면 훌륭한 열린 질문이 된다. 예컨대 프랭키의 "자! 이제 어떻게 할래?" 라는 질문을 받았을 때 매기가 대답할 시간적 여유가 있어서, "오른 쪽을 열어서 상대의 강함을 역이용해 보겠어요."라고 대답했다면 다음에는 "그것 외에는 또 어떤 시도를 할 수 있지?"라는 질문이 평범하지만 강력한 질문이 된다. 이처럼 질문은 상대방의 마음을 열고, 생각을 자극하여, 스스로 답을 발견, 실행케 하는 힘을 갖고 있다.

　　코칭이 컨설팅이나 멘토링 등과 다른 점은 이와 같이 코치의 질문을 통하여 고객에게 전달되는 관심사가 일doing이나 솔루션에 연결되어 있기보다 그 존재being에 연결되어 있다는 점이다. 코치는 고객의 잠재력이 무한함을 신뢰하고 있기 때문에 그의 존재에 다가가서 그 작동기제를 건드려주기만 하면 고객 스스로가 솔루션을 창출해낼 것을 굳게 믿는다.

　　코칭의 언어 중 질문에 버금가는 중요한 역할을 하는 것이 침묵이다. 공감적 반응과 경청의 기술에서도 침묵을 활용하는 것에 대한 짧은 언급이 있었지만, 열린 질문을 하는 코치가 고객이 생각하는 충분한 시간적 공간을 확보해 주기 위하여, 또한 발견 질문의 구동력이 정점에 도달하도록 타이밍을 맞추기 위하여 '강력한 침묵'을 구사하는 예를 많이 볼 수 있다. 이러한 때 코치는 '고객과 함께 있음'에 유의하여야 하며 고객의 내면에 일어나는 변화를 응시하는 성실성과 연민의 태도를 유지하여야 한다.

"수보리야, 네 뜻에 어떠하냐? 여래가 위없는 완전한 깨달음을 얻었느냐? 또한 여래가 내린 가르침이 있었더냐?"

불교의 대승경전인 《금강경》은 특히 중생의 지혜를 여는 방법으로 강력한 질문들을 사용하고 있는데, 이들이 모두 중생계의 눈높이에 맞는 열린 질문과 강력한 침묵으로 구성되어 있음을 한 번 눈여겨 볼만하다.

마음의 빗장 풀고
잠자는 사자를 깨우라

코칭의 언어학3 – 메시징 · 인정 · 칭찬

침묵이 경청의 일부가 되기도 하고, 강력한 질문이 되기도 하는 경우를 앞에서 들었지만, 침묵은 때로 강한 메시지가 되기도 한다.

상응부相應部, 쌍웃따니까야 경전에 있는 고행자 바챠고타의 이야기를 읽어 보자.

바챠고타가 고타마 존자를 찾아가 뵙고 물었다.
"고타마 현자賢者이시여, 내게 말씀해 주십시오. 자아自我-self라는 것이 존재합니까?"
고타마 존자는 아무 말도 하지 않았다.
"그렇다면 당신께서는 자아가 존재한다고 생각하지 않으십니까?"

존자는 여전히 침묵을 지켰다.

마침내 바챠고타는 떠났다.

질문하는 바챠고타를 연민 가득한 눈으로 바라보며 묵묵히 침묵을 지키시는 고타마 존자를 눈 앞에 그려보시라. 이 대목은 '우레와 같은 침묵', '뭇 짐승의 뇌를 찢는 사자후'라는 찬탄을 받는 부처의 자비로운 메시징 장면이다.

코칭을 받는 대상인 고객이 스스로 주제에 접근하지 못하여 헤매거나, 또는 주제를 찾기는 찾았으나 그 솔루션을 찾는 과정에서 자기기만의 함정에 빠져 헤어나지 못할 때, 코치는 고객을 도와주기 위하여 간결하고 중립적인 언어를 사용, 고객의 사고 전개 과정에 개입하게 되는데, 이를 메시징이라고 부른다.

올바른 메시징을 하는 데에는 몇 가지 중요한 법칙이 있다.

첫째 메시징은 절대로 고객과의 신뢰관계 형성이 만족스러운 수준에 형성되었을 때만 사용 가능한 기법이라는 것이다.

둘째 메시징을 하는 코치가 'egoless'의 상태에 있어야 한다는 것이다. 즉, 코치가 메시징 기법을 사용하여 개입할 때에는 철저히 자신의 아젠다를 놓아버리고 상대방의 아젠다에 집중하여야 한다는 뜻이다.

셋째 자신이 활용한 메시징을 고객이 받아들이지 않을 경우 이에

집착하지 않아야 한다는 것이니, 자신의 직관이 고객에게 공명을 일
으키지 못하는 것이 느껴지면 선선히 그 직관에 의한 메시지를 거두
어들여야 한다.

하나 더 추가 한다면, 메시징을 하고자 할 때는 가급적 고객에 대
한 인정, 칭찬을 선행시키라는 것이다. 이것은 첫 번째 래포Rapport
형성과도 일맥상통하지만 그보다 더 적극적으로 고객 마음의 빗장
을 풀어 마음속의 작은 울림 현상까지도 지각할 수 있도록 열어 놓아
야 한다는 뜻이다.

아이들이나 부하를 꾸짖는 경우에도 이를 늘 상기하면 효과성이
높아지는데, 한 마디로 아이들이나 부하를 개선시키고 육성시키려
는 충정衷情에 조금이라도 다른 의도가 섞인다면 절대로 꾸짖기를
시도하여서는 안 된다는 말이 된다.

선어록에서 보듯 방망이로 두들기거나棒, 꽥 소리를 지르는喝 행위
도 자신의 있는 그대로를 나타내어, 상대방이 스스로 미혹을 깨치도
록 도우려는 간절한 마음을 내보인 것이니, 이들 역시 대표적인 메시
징이라 하겠다.

인정, 칭찬에 관하여 자주 사용하는 사례이지만 되풀이 해보기로
하자.

2002년 월드컵 축구 포르투갈 전에서 결승 골을 성공시킨 박지성
선수가 골 세리모니를 하는 대신 곧바로 히딩크 감독에게 달려가 온

몸으로 안기는 장면을 TV에서 몇 번이고 되풀이하여 보면서 눈시울을 붉힌 축구 팬들이 많았을 것이다. 도대체 히딩크가 코치로서 박지성에게 어떻게 하였기에 이런 장면이 연출된 것일까? 또 어떤 히딩크의 마법이 작용하여, 그때까지만 해도 별로 각광 받지 못하던 선수 박지성이 마침내 영국프리미엄리그EPL에 이름을 떨치는 대선수로 성장하게 되었던 것일까?

월드컵 준비를 위한 합숙 훈련 시절, 연습을 마친 박지성이 락커룸에 혼자 앉아 쉬고 있을 때 히딩크 감독이 다가와 어깨를 치며 던진 다음 한마디가 오늘의 박지성을 만들었다고 하는 것이 통설이다.

"지성, 너는 정신력만큼은 세계 최고인 선수이다."

히딩크가 찝어서 세계최고라고 인정해준 정신력, 그것이야말로 박지성이 스스로 가장 자랑스럽게 여겨왔던 역량이었다는 것이다.

칭찬과 인정은 어떻게 다른가? 칭찬은 행동과 그 결과doing에 대해 하는 찬사임에 비하여, 인정은 그러한 행동과 결과가 있게 한 상대방의 본질과 덕목being에 관한 찬사이다. 코칭 워크숍에서는 때로 두 사람씩 짝을 지워 놓고 상대방에게 2~3분간 쉬지 않고 칭찬, 인정하는 연습을 시키기도 한다. Doing에 대한 칭찬, Being에 대한 인정의 스킬을 훈련시키는 뜻도 있지만, 연습으로 하는 칭찬, 인정이라고 알고 듣더라도 이를 들을 때 찬사를 받는 사람이 느끼는 에너지의 고양감高揚感을 실제로 느껴보는 것이 대단히 유용한 경험이 된다.

이 두 단계의 찬사에 덧붙여서 칭찬, 인정받는 이의 행동·결과와 그 덕목이 여러 사람이나 조직에 미친 긍정적 영향까지 축하하게 되면 그야말로 찬사를 받는 측이 감동하게 되고, 선순환의 축이 형성된다.

직관을 활용한 메시징과 인정 칭찬은 그러므로 마치 백수의 왕이 포효하는 사자후와도 같아서 고객 속에 잠자는 사자의 존재를 공명시켜 일깨우는 결정적 역할을 하게 되는 도구이기도 하다.

《선종잡독해禪宗雜毒海》에 실려 있는 고령탁古靈卓 선사의 선시 '창을 뚫으려는 벌窓蜂'이 참법法을 공부하는 사람들에 대한 강력한 메시지이기에 아래에 옮겨 싣는다.

빈 문으로 나가기를 즐겨 하지 않고   공문불긍출空門不肯出
막힌 창을 뚫으려니 어리석도다   투창야대치投窓也大癡
한 평생 옛 종이만 뚫으려 하니   백년찬고지百年鑽古紙
어느 날 비로소 머릴 내밀까?   하일출두시何日出頭時

잠재력과 창의력
끌어올리는
코칭의 작동기제

패러다임 전환

패러다임 전환 게임 중 다음과 같은 것이 있다. 워크숍 참여자들을 한 팀에 다섯 명씩, 서너 팀으로 나누어 진행한다. 점심 먹고 식곤증 날 때쯤, 한 팀에 널찍한 비닐 깔개 한 장씩을 나누어 주고 풀밭으로 나간다. 한 팀이 어깨동무를 하고 둥글게 서면 땅과 닿는 접면接面은 당연히 열 개가 된다. 그 접면을 지휘자의 구령에 따라 줄이거나 늘여 나가는 게임이다. 먼저 완성하는 팀이 이긴다.

시범 삼아 접면을 다섯 개로 줄여본다. 우열이 가려질 턱이 없다. 어깨동무 하고 한 발씩을 들고 외다리 서기를 하면 되니까.

다음 접면을 네 개로 줄인다. 이번도 어렵지 않다. 제일 가벼운 한 명이 제일 건장한 팀원의 등에 업히는 것으로 만사 해결.

이어서 접면을 세 개로 줄이도록 구령이 떨어진다. 이번엔 그렇게 쉽지만은 않다. 세 사람이 한 다리로 서고 두 명의 가벼운 사람을 골라 업히거나 매달리거나 해야 한다. 불안한 자세이지만 그런대로 세 다리로 솥발鼎足 모양을 만들어 성공하는 팀들이 생긴다.

자! 그런데 점입가경漸入佳境, 다음은 접면을 두 개로 줄이라는 구령이다. 두 사람을 외다리로 세워놓고 그 위에 세 명이 올라탈 생각을 해보지만 가능할까? 노력은 실패하고, 결국은 면이 꼭 발바닥 면이어야 할 필요는 없지 않느냐는 점에 착안해서 두 사람이 풀밭 위에 눕고 그 위에 세 사람이 걸쳐 눕는 해결책을 만들어 내는 팀이 나오게 되는 것이 보통의 수순이다.

여기서 그치지 않고 게임은 다음으로 넘어 간다. 접면을 한 개로 줄이라는 것이다. 앞에서 한 방법을 원용하여 건장한 한 사람을 깔고 그 위에 네 사람이 걸쳐 엎드려, 하나 둘 셋 새우처럼 배 뒤지기를 하면 이론 상 모양이 나오기는 하는데, 그 전에 밑에 깔린 불쌍한 팀원 입에서는 이미 비명이 터져 나온다. 이제는 게임 끝이겠지, 낄낄거리고 다들 일어선다. 다 끝난 줄 알고 모두들 깔개 걷을 때쯤 다음 차례의 구령이 떨어진다.

접면을 '0'으로 만들라는 구령이다. 한 동안의 설왕설래 끝에, 운 좋은 팀 머리에서 어쩌다 방법이 튀어나오는 경우가 있다. 모두 어깨를 걸고, 하나, 둘, 셋 뛰어 오른다. 훌륭히 접면 0개를 만들었다.

"이건 반칙 아닙니까?"

미처 방법을 찾지 못한 팀에서는 항의한다. 그러나 지속시간의 개념은 게임의 규칙 속에 없었던 것을 곧 상기하게 된다. 아하! 이쯤이면 이 게임의 목적이 무엇이었던가 참여자들이 깨닫는다. 게임은 계속되지만 이제부터는 확인 과정일 뿐이다.

구령은 다시 접면 한 개 만들기로 늘여 가지만, 이번에는 풀밭 위에 넘어지고 짓눌리고 하는 일이 없어진다. 어깨를 겯은 채로 한 명만 외다리로 서고 나머지는 하나, 둘, 셋, 뛰면 된다. 접면 두 개 만들기, 세 개 만들기는 어떤가?

이제 이 게임에서 얻은 깨달음을 정리할 시간이다. 게임 참여자들은 무엇에 속아서 엎어지고 자빠지고 하였던 것일까? 몇 가지 속임수를 위한 소도구가 있었던 것은 사실이다. 풀밭으로 끌고 나간 것도 그렇고, 깔개를 나누어준 것도 은연 중 넘어지고 깔리고 하는 과정이 자연스러운 것이라는 암시가 되었다. 그러나 더 큰 속임수는 무엇이었을까? 열에서 다섯, 다섯에서 넷, 셋, 둘, 하나로 줄여가는 점진적 과정Incremental Process이다. 지난 번 성공했기 때문에 다음에도 같은 방법이 성공할 것으로 생각하도록 패러다임을 은연 중 프로그래밍 했던 것이다.

"하나" 또는 "0"이라는, 기존 패러다임으로는 불가능한 목표에 직면하고 나서야, 참여자는 문제 해결을 위하여 패러다임 전환이 필수적인 것을 깨닫게 되었던 것이며, 그 깨달음이 생겨나자, 주어진 상황에 대한 해답은 종전과는 다른 쉬운 방법에 의해서도 얻어질 수 있음을 알게 되었다.

이 불가능해 보이는 상황에 대한 도전을 질문으로 만들어 고객 앞에 제기하는 행위 역시 코치의 몫이다.

전문 코치가 연마하고 활용하는 코칭의 기술이 세부적으로는 수도 없이 많다 하겠지만, 궁극적으로는 경청과 질문, 메시징과 인정·칭찬이라고 요약하면, 그 효과에 대해 의아해 하는 생각을 갖는 사람이 생긴다. 어떤 작동 기제機制가 있어, 코칭이 단순한 경청과 질문의 기술만으로, 코칭 받는 사람의 잠재력과 창의력을 끌어낼 수 있다는 것일까? 특히 기업 코칭의 경우, 이런 질문에 제대로 답할 수 없으면 코칭의 기회를 얻는 것 자체가 대단히 어려워진다.

짐작하시겠지만 이 질문에 대한 대답은 "코칭이 패러다임 전환을 일으킨다"는 것이다.

앞서의 '밀리언달러 베이비' 영화에서 우리는 코치 프랭키의 강력한 질문이 복서 매기에게 작용하여, 그녀 게임의 패러다임을, 단순한 힘과 스피드, 반사 능력의 게임으로부터, 두뇌활용을 포함하는 새로운 국면으로 전환시키는 것을 보았다.

"어떤 것이 부처입니까?"
어떤 수행자가 동산洞山 화상에게 묻자 화상이 답했다.
"삼이 세 근麻三斤이다."

알음알이知解의 허공 꽃空華 패러다임을 일순에 무너뜨려, 은산철벽銀山鐵壁: 은으로 된 산, 쇠로 된 벽 앞에서 오도 가도 못 하는 꽉 막힌 상태 아득한, 새로운 패러다임으로 전환케 하는 선지식善知識들의 여러 준엄한 코칭 질문 중 하나를, 외람되지만 선사들의 공안을 수록한《벽암록》에서 인용했다.

도전 · 창의력
협동력 · 성공체험
선순환 만들어야

코칭과 사장학

　앞에서 패러다임 전환과 창의력 이야기를 짧게 다루었으니, 이어서 코칭과 경영법의 관계를 필자가 경영자로 근무하였던 SK의 실례를 들어 살펴보기로 하자.

　회사를 구성하는 구성원 각자의 자발적, 의욕적 두뇌활용Brain Engagement이 기업경영의 핵심임을 강조한 SK그룹 특유의 경영법은 돌아가신 최종현 선대 회장이 만든 것이다. 이병철, 정주영 회장 등 카리스마가 강한 전설적 재벌회장들과는 다른 의미의 학구적 경영스타일을 정립하였던 분인데, 자신이 만든 경영법을 '사장학'이라는 이름으로 부르기를 즐겨 했다.

기업 경영의 주된 요소인 일과 구성원의 관계를 잘 정리해서 그 사이에서 창의력과 시너지를 창출해내면, 그것을 가지고 회사는 이윤을 만들어 지속적인 안정과 성장을 이루고, 구성원은 자기 성취와 성공체험을 통해 자신감을 보유한 탁월한 능력자로 발전하여, 기업과 구성원이 승—승을 이루게 된다는 것이다. 그것을 일목요연하게 잘 정리해 놓았으니 모든 구성원이 이를 익혀서 그룹 내에서 사장이 될 사람은 그룹 내에서 사장이 되어 성공하고, 나가서 다른 기업 운영에 종사할 사람 또한 나가서 성공하는 사장이 되라는 뜻이었다.

가끔 투박하게 웃으면서 "어떤 회장들은 자기 고유의 경영법을 숨겨두고 하나씩 카드를 꺼내 들어 '이건 몰랐지' 식의 경영을 하지만, 나는 이렇게 다 글로 써서 공유하고 나도 구성원의 일원으로서 이를 실천하는 열린 경영을 한다"고 자부하면서 "이 사장학으로 SK를 세계일류기업으로 만들 것인데, 이 방법을 국가 경영에 활용하면 우리나라를 세계일류국가로 만들 수 있다"고 강한 의욕을 보였다.

어느 날은 필자가 이 분 앞에서 사장학 경영법에 의한 경영성과를 브리핑하는데, 회장 가까이 배석했던 주력 계열사 사장이 머리를 회장 쪽으로 크게 끄덕이며 졸고 있었다. 모두들 민망해 있는데, 회장 자신은 개의치 않는다는 듯 우리를 향해 질문을 던졌다.
"자네들, 사장이 왜 저렇게 졸고 있는지 아나?"

대답이 없자 자문자답.

"회장 앞에서까지 졸고 있다는 것은 건강이 좋지 않다는 증거야. 그러니 단전호흡을 하도록 하면 좋겠군."

이날의 해프닝은 결국 각급 회사의 여러 사업장에 단전호흡 수련 장을 만들어 주는 것으로 결론이 나서 임직원의 건강관리와 업무 의욕 고취에 긍정적으로 기여했다.

리더가 갖는 덕목, 타인에 대한 배려를 잃지 않으면서 자기 의견을 관철하는 용기는 승-승을 이루는 좋은 성품인데, 이 경우는 그 성숙성Maturity이 잘 드러난 사례였다.

사장학의 요체라는 구성원의 자발적, 의욕적 두뇌 활용은 어떻게 하면 얻어질 수 있을까? 경영직에서 은퇴한 뒤 SK아카데미 교수 시절, 필자가 강의하던 SK경영법에는 이에 대한 해답이,

- '기업관', 즉 기업경영에 대한 철학을 공유함에 따른 전 구성원의 한 방향 정렬
- 의욕, 관리역량, 코디네이션, 커뮤니케이션, 경영자의 자세 등을 신장시키는 다섯 가지 '동적動的 요소'의 관리
- 탁월 그 너머의 목표를 끝까지 추구하는 'Super ExcellenceSupex 추구'
- 일을 중심으로 마케팅, 생산, R&D, 지원팀을 묶는

'유기적 조직 운영'
　　－ 'Can Meeting' 에 의한 '전원 참여 경영' 등

　여러 가지로 체계화 되어 있지만, 지금 필자에게 이야기 하라고 한다면 한 마디로 '코칭적 리더십' 이라고 단순화시킬 수 있겠다.

　구성원 개개인의 의욕 수준까지 읽어내고 이를 지지하는 리더의 배려 깊은 맥락적 경청, 자아의 개입이 없는Egoless 열린 질문과 메시징을 통해 구성원의 패러다임 전환을 이루어내는 코칭 과정이 곧 자발적, 의욕적 두뇌활용 프로세스이다. 그 결과로 얻어지는 개인 단위, 팀 단위 창의력을 시너지로 묶어 전원 참여의 집단 창의력으로 융합시키면, 불가능해 보이던 높은 목표가 오히려 패러다임 전환을 촉진하는 촉매가 되어 마술과 같은 구성원 모두의 성공체험이 일어나게 된다.

　필자가 경영하던 기업에서는 이 방법을 적용하여 대규모의 포상을 하고 또한 영예의 전당에 헌액하는 'Supex 추구 상賞' 제도를 운용하였는데, 그 상의 심사기준을 아래와 같이 네 가지로 엄격히 정하여 통상의 경영성과들로부터 가려내도록 하였다.

　첫째, 높고 큰 성과에 패기를 갖고 도전하여 성취하였는가?
　둘째, 장애 요인 제거에 통상적 문제해결 방법을 뛰어 넘는 새로운

패러다임의 창의력을 발휘하였는가?

셋째, 팀의 모든 구성원이 성과에 참여하여 시너지를

창출하였는가?

넷째, 성공체험이 선순환을 이루어 다른 Supex 추구 활동에

공헌하였는가?

최종현 회장이 사장학을 국가경영에 확대 적용하려 시도했던 것처럼, 이 정신을 기업경영뿐이 아니라 우리의 일상에 외연外延하면 어떻게 될까?

인드라의 찬란한 연기緣起 그물, 상의성相依性의 세계에서 이루어지는, 대승적大乘的 '일류의 삶'을 생각해본다.

당면한 문제가
오히려 해결의 실마리

코칭과 미래의 자신

내가 전문코치 자격으로 간여하고 있는 한국리더십센터에서는 여러 가지 리더십과정, 코치 양성과정과 함께 '창의적 교수법'이라는 좋은 과정도 운영하고 있는데, 재미있는 점은 창의적 교수법을 강의하는 전문가들 중에 교사 출신이 한 분도 없다는 것이다.

가르친다는 것Teaching이 자신이 갖고 있는 지식을 상대방에게 전수하는 자기중심적 요소Me Centered가 강한 반면, 코칭은 내가 가지고 있는 지식을 개입시키는 일은 가급적 삼가고 상대방의 잠재력을 이끌어내는 데 주력한다는You Centered 그러한 큰 차이가 있다. 더 부연하면 티칭, 컨설팅, 멘토링 등은 상대방 고객과 함께 솔루션을 찾아가는 Doing에 관한 접근이고, 코칭은 상대방의 존재에 접촉하는 Being에 관한 접근이다.

따라서 코칭에서 강조하는 바, 따듯한 마음에 바탕을 둔 경청, 질문 등 기술적 요소들은 얼마든지 티칭, 컨설팅 등에 접목하여 그 본래 목적의 효과성을 증진시키는데 사용할 수 있다는 것이 흥미로운 점이다. 대표적인 예로 기업에서 실시하는 멘토링은 거의 100% 코칭 기술을 접목하여 시행한다. 기업에서 채용과 관련하여 중요하게 생각하는 지표가 신입사원의 이직률인데, 대기업을 표본으로 한 조사를 보면 신입사원의 1년 내 이직률은 2007년 29%를 상회하여 기업의 채용 활동에 심각한 문제를 제기하였다. 다수의 기업들이 이에 대응하는 방안으로 코칭을 접목한 사내 멘토링 제도를 도입하여 그 중 성공적인 기업들은 이직률을 거의 0% 수준까지 떨어뜨리는 성과를 이룩하기도 하였다.

고객 중심이라는 점에서 코칭은 상담의학相談醫學과 비견되기도 한다. 공감적 반응의 기법을 활용함에 있어 코칭과 상담의학은 거의 기술적으로 근사近似하다. 다만, 상담의학이 고객의 과거를 탐험하여 그의 기억 속에 존재하는 트라우마Trauma를 제거하는 데 주력함에 비하여, 코칭은 상상력을 활성화 하여 고객의 미래를 확장하고 긍정적이 되도록 지지함으로써 과거의 트라우마를 사소한 것으로 만들 뿐 아니라 이를 문제 해결의 자원Resource으로 바꾸어 활용할 수 있게 만든다는 점이 크게 대비되는 점이다.

코칭의 과정에서 고객의 미래를 확장시키는 방법 중 하나가 미래의 자신Future Self을 투영Projection하도록 하는 것이다.

고객에게 조용하고 편안한 분위기를 만들어 주고 그를 명상 속에 몰입하게 하여 20~30년 뒤의 상상 속의 자신과 만나도록 도와준다. 원하는 바를 이미 이룩한 자신의 모습을 만나보고 그 느낌을 성찰한 뒤에 그 자리에서 현재의 모습을 바라보도록 하면 현재, 과거의 여러 당면 문제가 오히려 문제 해결의 실마리인 것을 깨닫는 긍정적 변화가 일어난다. 이 내면의 확신을 그대로 간직한 채 현재의 시점으로 되돌아오도록 돕는 것이다.

약학박사 학위과정의 최종 단계에 있던 한 여성 고객이 자신의 문제를 코칭 받겠다고 상의해 온 적이 있다. 학위논문은 곧 통과되겠지만, 그게 다 무슨 소용이냐는 하소연이었다. 남들 다 하는 연애도 한 번 못 해보고, 옹알이 하는 갓난아기를 안고 동창회 나오는 친구들이 부러운 것도 참고 박사학위에 매달렸는데, 이제 끝날 때가 다가오니 회의가 든다는 것이었다. 학교에 남아 교수들, 대학원생들과 씨름하는 생활이 계속되는 것도 신물이 나고, 설사 제약회사 연구실에 취직되어 신약개발팀에 합류한다고 해도 가장 중요한 임상은 의대 출신들이 장악하고 있으니 약학박사라 해봐야 심부름꾼에 지나지 못할

것이라는 푸념이었다.

　코칭의 처음 몇 단계를 거쳐, 그녀는 결국 자신의 20년 후 Future Self를 투영해 보고, 그 모습에 '엄마마눌연구왕여사' 라는 긴 이름을 지어 붙이는 것을 계기로, 자신이 스스로 만들어 자신을 가두었던 의기소침 상자에서 탈출하여, 사랑 받는 마누라, 아이들에게 헌신하는 엄마, 그리고 인류에 공헌하는 세계최고 수준의 신약 연구자가 되는 꿈을 모두 함께 이루겠다고 의욕적인 진로를 설정하였다.

　"생각의 속도로 날기 위해서는, 그곳이 어디든 그대는 자신이 이미 그곳에 도착해 있음을 아는 것으로부터 시작하지 않으면 안 된다."

　리챠드 바크라는 사람이 쓴《갈매기의 꿈》을 읽어보면 성자聖者의

은유인 치앙 갈매기가 주인공 조나단 리빙스턴 갈매기에게 나는 법의 극의極意를 가르치는 장면이 나온다. 그 비결은 자신의 본성이 이미 완전하며, 시간과 공간을 초월해 모든 곳에 동시에 존재함을 깨닫는 일이었다.

깨끗함 · 예술 언어
지향하는 코칭 어법

'같아요 어법'과 '레이저 언어'

2007년 11월 13일 플로리다 쌩 어거스틴 소재 세계 골프 명예의 전당에서 놀라운 사건이 기록되었다. LPGA의 영원한 상징 낸시 로페즈의 손에서 세계 골프 명예의 전당 입회 트로피가 박세리의 손으로 건네진 것이었다. 흰 바지에 금빛 단추로 장식한 검은 색 윗옷 정장을 입고 트로피를 손에 든 채 박세리는 3천여 축하객들 앞에서 당당한 영어로 입회소감을 밝혔다. 1998년 메이저 대회인 U.S. Women's Open을 당당히 정복하고도, 마이크를 들이미는 ESPN 아나운서에게 "기쁜 것 같아요, 그럴 것 같아요" 라고 말하려는 의도로 어설픈 'like, like'를 연발하던 재투성이 신데렐라 소녀의 주눅 들은 모습은 아무 데도 남아 있지 않았다.

9월 3일자 조선일보 37면에는 '당신은 악마 같은 것 같아요?' 라는 제목으로 '박은주의 태평로칼럼'이 실렸다. 칼럼의 내용은 위와 같은 '같아요 어법'을 다룬 것이었으나 이번에는 젊은 세대들 간에 유행하는 옛 박세리식 어설픈 자기표현 모습을 나무라는 데에서 더 나아가, '같아요 어법' 속에 있는 정치인을 비롯한 세대 모두의 비겁함, '공격할 때는 좀 비겁하게, 방어할 때는 더욱 비겁하게' 증후군을 개탄하는 글이어서 필자의 마음에 크게 공명하였다.

코칭의 언어는 '같아요 어법'을 단호히 배격한다.

코칭이 비록 고객의 언어를 사용하여 고객과 소통한다고는 하지만 고객이 '같아요 어법'을 구사한다고 해서 이를 따라가지는 않는다는 뜻이다. 스티븐 코비 박사의 리더십 과정에서는 주도성을 키우기 위하여는 주도적 언어를 써야 한다고 지적하는데, 주도적 언어란, "어쩔 수 없이 ~해야만 한다" 대신에 "~하기로 했다, ~하기로 선택했다", "~같아요" 대신에 "~이다, ~임을 확신한다" 등의 표현을 사용하는 것이다.

꼭 NLPNeuro-Linguistic Programming: 신경언어학 프로그래밍 이론을 빌리지 않더라도 고객이 주도적 언어의 중요성을 인식하고 의식적으로 이를 사용하면 그의 주도성이 크게 항진하는 것을 여러 번 경험한 바 있다.

쉬운 예로, 상대방을 인정 칭찬하면서 '같아요 어법'을 쓴다고 가

정해 보자. "당신은 사랑이 넘치는 사람이군요" 라는 인정 표현을 쓰면서 상대방의 눈을 그윽하게 응시하는 경우와, "당신은 사랑이 넘치는 사람 같아요" 라는 표현을 사용하면서 상대방의 눈길을 잠시 피하는 '같아요 어법' 을 사용하는 경우를 비교하여 상상해 보시라. 이 차이로 인해 고객에게 닿는 울림이 어떻게 달라질 것인지 이 글을 읽는 여러분도 금세 알아차릴 수 있을 것이다.

어떤 기업 간부에 대한 코칭의 실제 현장에서 일어난 일이다. 고객을 처음 만나보니 늘 미소 짓는 좋은 인상의 어눌한 분이었고, 이른바 '같아요 어법', 비주도적인 어법을 쓸 뿐 아니라 그것도 자주 끊어져서 코치와의 첫 대화에서도 좀처럼 긴 대화가 이어지지 않아 답답할 정도였다. 고객 자신도 코칭을 통하여 자신의 주도성과 적극성을 함양하고 언어습관도 눌변에서 달변으로 변화하기를 바라고 있었다.

그러나 고객과 코치가 함께 놀란 것은 이 고객의 이른바 360도 현 수준평가를 끝내고 나서였다. 명확한 언어의 구사 능력, 설득력 등의 의사소통 평가 항목에 대해 본인의 자기평가는 '최하' 이었음에 비하여 부하직원의 평가는 '보통 이상의 수준' 으로 큰 차이를 보였던 것이다.

이 사실을 어떻게 설명할 수 있을까? 코칭의 몇 차례 다음 과정을 거치면서 우리는 이 고객의 눌변과 미소가 부하들에게는 경청의 효과를 일으켜 그들로 하여금 마음을 열게 하는 선행 과정이 된 까닭에, 어눌하고 비주도적인 상사의 말조차 명확하고, 설득력 있는 언어로 받아들이게 한 것임을 발견하였다. 발견이 이루어진 이상 코칭의 목표는 달변을 이루고자 함이 아닌 것이 분명하여졌다. 눌변과 미소는 그 상태에서 계속 유지하고, '같아요 어법', 비주도적 어법만을 주도적 언어와 중립적 언어로 대체한다는 처방을 얻게 된 것이다.

코칭의 언어는 깨끗한 언어를 지향한다. 적게 말하는 것이 많이 말하는 것이라고 생각하는 '레이저 언어'가 곧 깨끗한 언어이다. 위 사례의 기업 간부는 선천적 어눌과 후천적 코칭에 의하여 깨끗한 언어를 사용하는 법을 체득하게 되었다.

코칭의 언어는 또한 예술을 지향한다. 예술을 위한 예술이 아니라 고객과의 연결을 오래 가는 감동으로 이루게 하기 위한 예술을 지향하는 것이다. 고객을 돕고자 하는 간절한 마음을 가장 단순하고 절제된 언어로 표현한다.

'이 뭐꼬?' 경상도 사투리의 이 외마디 질문은 자신의 정체성을 찾기 위해 매진하는 납자들이 한 결 같이 붙들고 늘어지는 유명한 화두이다. 이 화두가 잊혀질만하면 늘 필자의 마음에 되돌아오는 것도 이것이 강력한 '레이저 언어'이기 때문이다.

당신은 누구의 삶을
살고 있습니까?

성찰질문

왕년의 아시아의 물개 조오련 씨가 타계하였다는 뉴스를 접한 날, 오래 전 700리 물길 한강 종영縱泳을 마치고 나서 그가 했던 인터뷰 내용이 떠올랐다.

"잡념에 빠지지 않기 위해서는 무얼 하지요?"

기자가 물었다. 이런 류의 장거리 수영에는 잡념이 가장 위험하다는 설명이 있고 나서의 일이다. 늘 깨어있는 삶을 위해 무엇을 해야 하느냐고 묻는 학인學人의 선사禪師에 대한 질문과도 비슷하다.

"숫자를 셉니다."

조 선수의 대답은 의외로 간단하다.

"아 그렇군요. 그렇다면 몇까지?"

"하나, 둘, 그 이상은 세지 않습니다. 그 이상을 세려다가는 다시 잡념에 빠져들게 되거든요."

하나, 둘 그렇게 세어서 158,000번 팔을 휘두르는 거리를 조 선수는 열흘에 걸쳐 헤엄쳤다고 한다.

무엇이 그것을 가능케 했느냐는 질문에 그는 짧게 답했다.

"물에 대한 믿음입니다. 그 믿음이 나를 비웁니다."

조오련 씨는 인터뷰 말미에 앞으로 중국의 장강長江 양자강 종영을 계획하고 있다고 말했었다. 이루어지지 못한 계획이었다.

코칭을 하다 보면, 고객이 강물처럼 느껴지는 때가 있다. 고객의 생각, 감성, 그러므로 그 존재 자체가 끊임없이 물결치며 흐르고 있다. 깊은 웅덩이도 있고, 소용돌이도 있으며, 수초가 발목을 휘감는 강변 모래톱도 있다. 고객과 함께 한다는 점에서 코치는 마치 물길을 종영하는 수영 선수와도 같다. 깨어 있지 않으면 그 흐름을 놓치게 되고, 흐름을 놓치면 언제 어떤 위험에 처할지 모른다는 점에서도 같다. 코치는 고객에 공감하지만 동화되어서는 안 된다. 자신을 경영할 줄 알아야 한다는 뜻이다. 그러나 고객의 존재, 그 잠재력에 대한 믿음으로 자신을 비우는 것이다. 하나 둘 그렇게 스트로크를 세는 것처럼, 코치의 언어는 단순하다. 경청과 질문을 엮어서, 때때로 인정, 칭찬으로 임파워 하면서, 때로는 메시지로 막힌 물길을 뚫어 함께 흐른다.

고객의 간절한 언어를 듣는 능력은 자신을 비움에 있다.

당나라 현종의 총애를 받았던 미인 양귀비와 그 정인情人 안록산의 이야기를 담은 소염시小艷詩라는 시를 한번 읽어 보자.

아름다운 그 맵시 그림으로도 그리지 못 하는데
깊고 깊은 규방에서 제 마음을 알리려네
자주 소옥小玉을 부르지만 소옥에겐 일이 없고
오직 님께 제 소리를 알리려는 뜻이라네.

일단풍광화불성一段風光畵不成
통방심처설수정洞房深處說愁情
빈호소옥원무사頻呼小玉元無事
지요단랑인득성只要檀郎認得聲

양귀비가 홀로 규방에 있어 안록산이 담 밖에 있는 줄을 알고, 어서 월장越墻하라는 신호를 보내려고 옆에 앉아 있는 시녀 소옥이를 애꿎게 불러대고 있는 장면을 읊은 것이다.

이 시는 중국의 선사 오조 법연 선사가 어느 거사에게 선禪을 이해시키기 위한 방편으로 처음 인용한 이후 선가禪家에서 격외언어格外言語: 격식이나 관례를 벗어난 언어로 널리 애용되고 있는 시인데, 양귀비가 시녀 소옥을 부르는 것은 자신을 드러내는 방편이지, 소옥을 찾는 것이 아니라는 것이다.

이 소리를 담 너머로 듣고 안록산이

"도대체 무슨 일이 생겼기에 귀비가 저렇게 소옥이를 부를까?"

라든가

"아니 소옥에게 무슨 몹쓸 일이 생겼나?"

라고 자기 나름의 생각을 한다면 여러분은

"에그 빙충맞은 놈 그래 가지고 연애하겠니?"

하고 꿀밤을 먹이지 않겠는가?

코칭의 언어 역시 그러하다. 상대방의 준거틀Frame of Reference 속에 들어가 들리지 않는 소리를 듣는 것을 맥락적 경청Contextual Listening이라고 하는 것이다.

선문답 이야기가 나왔으니, 코칭에서 가끔 사용하는 뜬금없는 질문인 성찰질문에 대하여 알아보자.

누구라고 이름을 대면 알만한 잘 알려진 전문코치가 미국에서 열린 국제코치 연례대회에 참석하였을 때 이야기라고 한다. 마침 참석을 등록한 세미나 프로그램에서 제공하는 마스터 코치와의 코칭 시연이 있어서 본인이 자원하여 코칭을 받게 되었다. 젊은 코치였기에 좀 무리하여 강의, 코칭, 사업계획 수립, 신규 고객확보 등 여러 가지 일이 겹쳐 눈코 뜰 새 없이 바쁜 시기였으므로, 마스터 코치의 코칭을 받으면 일의 우선순위가 잘 정리될 것으로 기대하였는데, 코칭의 말미에 다음과 같은 질문을 받았다고 한다.

"당신은 누구의 삶을 살고 있습니까?"

성찰질문Inquiry은 꼭 대답을 요구하지는 않는다. 고객의 내면에 메아리를 일으킨 것으로 그 소임을 다 하는 질문이다.

코치는 스스로에게도 끊임없는 성찰질문을 던짐으로써 자신을 확장 심화하고, 자리이타自利利他의 세계를 추구한다.

'배려' 란
넉넉한 마음가짐의 산물

고객의 거울되기

주한 벨기에 대사를 역임한 네이스컨스 부처夫妻가 다음 임지인 콩고로 부임한지 일 년쯤 뒤 휴가를 얻어 서울에 들렀을 때, 흥미 있는 이야기를 하나 들려주었다.

조금 과장하여 말했는지 모르지만, 콩고의 언어에는 어제와 내일이 없다는 것이다. 오늘과 오늘 아닌 것이 있을 뿐, 당연한 일로서 과일을 수확하기 위해 유실수有實樹를 재배하는 따위의 일은 절대로 하지 않는다는 것이다. 오늘 땔감을 위해 유실수를 베어 불 때는 일은 있을지언정. 이런 상황에서 시간은 무엇일까? 시간은 과연 과거로부터 미래로 불가역적不可逆的으로 흐르고 있는 것일까?

콩고의 언어에서 그들이 발견하지 못한 또 하나의 중요한 어휘는

'고맙다'라는 말이었다고 한다. 추수감사절을 맞이하여 대사관에서 일하는 콩고 일꾼들에게 칠면조 선물 꾸러미를 만들어 주었더니 도로 빼앗아 가기라도 할까 봐 경계하는 태도로, 채어가듯 가져가더라는 것이다. 한국전쟁 이후 우리 역시 겪었던 생존의 참담했던 상황에 비추어, 미래를 준비하는 일, 선의와 배려 따위를 이해할 수 없는 콩고인들의 심적 상황이 아주 낯설지는 않았다는 것이 나의 고백이다.

벌써 오래된 일이나 전혀 다른 체험도 있다. 아침 신문을 받아 들고 읽은 그날의 가장 즐거운 뉴스는 스티븐 호킹 박사의 기구氣球, balloon 나들이었다. 기구를 제작·제공한 회사의 발표에 따르면 휠체어를 기구에 싣는 것에 안전상 '다소의' 기술적 어려움이 있었다고 애교 있는 표현을 쓰고 있었다. 그 어려움을 금세기 영국인, 자신들의 자랑인 대大 학자의 기쁨을 위해서 극복해낸 회사 기술진들의 마음은 얼마나 따뜻한 배려로 뿌듯한 것이었을까.

기구를 타고 하늘을 나는 것이 어릴 적부터의 꿈이었다니 호킹 박사는 매우 즐거웠을 것이다. 시간의 역행이 존재함을 증명하여 시간의 역사를 다시 밝혔다는 대 수학자, 물리학자에게 어린애 같은 꿈이 남아 있었다는 것을 알게 된 것만으로도 나까지 즐거워졌었다.

2000년 9월 호킹 박사가 서울대학교 문화관에서 강연하던 날, 이어 제주도에서 가졌던 학술세미나까지, 만사를 젖혀 두고 거기에 달려갔던 것은 들어도 잘 이해하지 못할 강연의 내용에 관심을 가져서

가 아니었다. 그를 그저 가까이서 보고 싶었던 것이었을 뿐.

그의 미소는 특별한 것이었다. 컴퓨터가 느릿느릿 말하고 있었고 그는 그저 키보드 같은 것에 손을 얹고 웃고 있었다. 그것은 육신의 불구不具마저도 감사하는 듯한 무구無垢한 웃음이었다.

기구를 타고 하늘을 오르면서, 그는 역시 그런 자세로 앉아 웃고 있었을 것이다. 시간과 마음의 함수관계를 수학적 공식으로 풀어내면 어떨까. 그에게는 수학이 일상이었을 것이므로, 자신의 시간이 어린 시절로 되돌아가는 궤적을 음미하며, 기구 기술자들의 배려에 감사하고 있었을 것이다.

위의 두 예에서, 배려란 넉넉함의 산물인 것을 쉽게 깨닫게 된다. 이 넉넉함을 풍요의 심리Abundance Mentality라는 낱말을 써서 표현하기도 하는데, 코치는 넉넉한 마음가짐을 바탕으로 자신을 고객의 거울로 만든다.

한상복의 저서《배려》에는 아스퍼거 신드롬Asperger Syndrome이라는 단어가 나온다. 남에 대해 전혀 이해하지 못하는 일종의 장애를 뜻하는 말이다. 이런 장애를 가진 사람들은 자기 세계 속에만 갇혀 있다. 아스퍼거는 이기적인 성격과는 다르다. 이기적인 사람들은 남의 입장을 알면서도 자기 욕심 때문에 이기적인 행동을 하지만, 아스퍼거는 아예 남의 입장을 이해하지 못한다.

이 책의 저자는 이러한 아스퍼거를 사회적 의미로 확대시켜 '사스퍼거Social Asperger'라는 개념을 만들어냈다. 즉 사회생활 속에서 자신밖에 모르는 사람들을 뜻한다. 남을 배려할 줄 모르고, 나눌 줄 모르며, 자신에게는 한없이 관대하고 남들에게는 무자비한 사람들을 일컫는다.

그런데 이러한 '사스퍼거'들이 세상에는 의외로 많다. 삶의 의미나 목적은 잃어버린 채 목표를 향한 경쟁만 남은 오늘날의 현실에서 나누며 베푼다는 것은 전혀 시대에 맞지 않는 가치로 보일 수 있다. 하지만 경쟁과 이기주의 때문에 나타나는 여러 폐해들로 인해, 누구를 위한 경쟁인지 그 의미를 잃어가고 있는 것 또한 현실이다. 그들이 어떻게 자신이 '사스퍼거'인 줄 알게 할 수 있을까? 코치가 그들을 비춰주는 거울이 되어야 하는 것이다.

코치는 언어를 통하여 고객의 거울이 되므로, 언어가 자칫 마술거울이 되는 것을 경계한다. 마술의 방에서 대상을 둘러싸고 비추는 오목거울 볼록거울. 그 비춰진 모습이 또 다른 거울과 거울들에 굴곡되어 일그러질 때 또 그 위에 참 모습이 합성되어 함께 어른거리고 간섭할 때, 어느 모습이 참 모습인지 알 길이 없어진다. 그러므로 코치는 늘 절제된 언어, '자아를 배제Egoless'한 중립적 언어를 통하여 고객 앞에 구면수차球面收差 없는 거울로 바로 서기를 힘써야 한다.

무명無明: 중생의 어리석음이 진여眞如: 진리 자체를 훈습하여 존재라는 환幻: 환상, 허깨비을 내는 모습이 아마도 이 마술의 방, 중첩된 마술거울 놀음 비슷하지 않을까. 언젠가 《대승기신론》을 읽다가 문득 일어났던 생각이다.

삶의 주인 되어
모든 것에
진정성 가져라

코칭과 진정성

　미래산업未來産業 주식회사의 정문술 사장이 아직 현직일 때 그가 제주도에서 기업인들을 대상으로 특강하는 것을 들은 적이 있다.

　미래산업이 신상품 개발에 대성공을 거두었다고 하는데, 실은 스무 가지 개발 제품 중에 열일곱 개가 실패하고 세 개가 성공한 것이라는 것이 그의 설명이었다. 그 개발을 하느라고 연구실에 야전침대 들여놓고 연구원들과 동고동락同苦同樂 해가면서 밤낮 없이 골몰했었는데, 그 중 한 제품 개발은 너무 어려워서 연구원들이 결국 손을 들어버렸다는 것이다.

　"사장님, 아무래도 이건 포기해야겠습니다."

　어느 날 연구원들로부터 최후통첩을 받았으나 그래도 실망한 기색은 보일 수 없어서 소주 몇 병 사서 쫑파티 해 주고, 오랜만에 다리나 뻗고 잠 한번 자보자고 집으로 철수해서 밤에 잠을 자는데, 비몽사몽 간에 꿈속에서 불현듯 문제 해결의 아이디어가 떠올랐다는 것이다.

파자마 위에 점퍼 걸치고 연구실로 달려가서, 술 취해 잠자던 연구원들 두들겨 깨워서 꿈에 본 아이디어 적용해 보니, 아, 바로 그게 해결책이었다고 한다. 이렇게 해서 동화 같은 또 하나의 해피엔딩이 이루어졌다고, 집중과 헌신이 창의력과 연결되는 놀라운 파워에 대하여 이야기하던 기억이 새롭다.

이 회사를 이루는 과정에서 정문술 사장은 아래와 같은 두 가지 결심을 하고 이를 전 사원에게 공표하였다고 한다.

"첫째, 이 회사는 임직원 여러분의 것이다. 내 가족은 이 회사의 경영에 절대로 간여하지 않을 것이다. 둘째, 자신이 퇴역하는 시점에서 자신의 지분을 처분하여 300억 원을 한국과학기술원에 기증할 것이다."라는 선언이 그것이었다.

다른 많은 기업인들과는 달리 정문술 사장은 이 약속을 철두철미 지켰으며, 그 가족들에게는 공장은커녕 사무실 방문도 허용하지 않았다는 투철함이 항간에 회자되는 것을 들었다. 이 진정성이 아마도 미래산업을 온 구성원이 몸 바쳐 일하는 유망기업으로 성장하게 만든 동력이었을 것이다.

《고등어를 금하노라》라는 제목의 글을 써 출간한 50대 건축가 임혜지 씨는 독일 남자와 결혼해 독일에 살고 있는 여성이다. 그녀의 책이 요즘 잔잔한 감동을 일으키고 있다고 한다. 요컨대 누구나 삶의 주인이 되라는 주도적 삶의 자세를 강조한 글인데, 이 책의 소개 글에 이런 구절이 있다.

"어떤 세상에서 살고 싶다고 막연하게 말하지만, 다들 그런 세상을 기다릴 뿐이다. 그런데 저자의 가족들은 그렇지 않다. 그들은 내 가족 안에서 실천할 수 있는 일을 실천하며, 세상에 좋은 영향을 미치는 일을 찾아내면 바로 행동에 들어간다. 돈보다는 가족과 함께하는 시간을, 전기를 펑펑 쓰기보다는 따뜻한 물주머니를, 먼 나라에서 온 고등어보다는 내 나라의 먹을거리를 선택하는 사소하지만 소신껏, 자신의 가치를 실천하는 용감한 임혜지 가족의 하루가 펼쳐진다."

재미도 없는데 돈 때문에 더 일하지는 말라고 남편의 승진을 말리는 아내, 자녀에게 공부도 연애도 강요하지 않겠다는 엄마, 남의 시선에 연연하지 않고, 내 삶의 품위는 내가 선택한다는 그녀의 현명한 둔감력鈍感力에서 느껴지는 진정성이 독자들에게 이 책을 읽히게 하는 원동력일 것이다.

내게 멘토코칭을 받고 있는 어떤 기업의 임원이 하루는 멘토코칭의 한 과정으로 자신이 부하직원을 코칭 한 녹취 파일을 하나 가져왔다. 검토하여 잘된 곳, 잘못된 곳을 찾아 피드백을 해달라는 것이었

다. 약 30분간의 코칭 장면을 녹취한 것이었는데, 한마디로 겉핥기 코칭이어서 코칭의 주제도 제대로 선정되지 못하고, 고객과 코치 모두 몰입도도 낮아서 실망이 컸다. 그래서 즉석에서 내가 주제 하나를 제시하고 내 문제를 코칭 하도록 시연 시켜보았더니, 아직 숙련이 부족한 미흡함은 있었으나 녹취된 코칭보다는 훨씬 높은 수준의 훌륭한 코칭을 하는 것이었다.

무엇이 문제였을까? 고객과 함께 다시 찬찬히 녹취 파일을 들어보니 주제의 진정성 결여가 먼저 지적되었다. 부하 직원이 억지 춘향으로 만들어 온 절실하지도 않은 주제를 과제 삼아, "연습인데 이런 정도도 괜찮겠지?" 하는 마음으로 교과서의 코칭 모델을 적용하여 코칭을 시도한 것이 문제였던 것이다. 그래서 이런 질문을 부하 직원에게 해보도록 권고했다.

"자네가 가져온 그 주제는 스스로 얼마나 간절히 해결하기를 원하는 과제인가?"

또는, "자네 주제의 절실한 정도를 1에서 10까지의 스케일로 표현해보면 어떻게 되겠는가?"

그 임원은 크게 고개를 끄덕여, "아하!" 하는 깨달음의 모습을 보였는데, 아마도 자신이 코칭에 임하는 자세의 진정성도 함께 반성하였을 것이다. 이로써 다음 코칭 세션에서는 보다 더 자신의 진정성에 입각하여 고객의 본질과 연결된 코칭이 가능하였을 것으로 생각된다.

깨어 있는 눈으로 바라보면 모든 스스로 그러함이 진정성의 표출일 뿐이다. 코치는 고객과 함께 이 진정성의 세계에서 둘 아닌 하나가 된다.

익히지 않은 것을
전하지는 않았는가?

프로정신

2009년 추석 연휴 지나고 10월 5일 아침 신문에는 16강의 관문을 당당히 실력으로 통과한 이집트 U-20 청소년 월드컵의 '홍명보 리더십' 기사가 실렸다. 어린 선수들과 스타플레이어 출신 감독에 대한 축구계의 우려를 신뢰와 존중의 리더십으로 말끔히 씻어내고 팀을 성공적으로 이끌고 있다는 칭찬 기사였다. 특히 홍명보 감독의 말을 인용하여, "지금부터의 매 경기가 선수들의 인생을 바꿔놓을 것"이라며 "이들의 감독이 될 수 있어서 영광"이라고 기술한 대목의 진정성이 기사를 읽는 독자들의 심금을 울렸을 것이다.

같은 해 조선일보 9월 24일자에는 TV 드라마 '베토벤 바이러스'

에서 마에스트로 강 역을 맡아 열연했던 탤런트 김명민의 이야기가 크게 실렸다. 그가 새로 출연하는 작품 '내 사랑 내 곁에'의 루게릭 환자 역을 연기하기 위해 식사 조절만으로 체중 20kg을 감량했다는 '지독한 프로정신'에 대한 기사였다. 어째서 운동과 식사 조절을 함께 하여 체중감량을 시도하지 않았느냐는 질문에 대한 대답에 그 핵심이 잘 나타나 있었다. 루게릭 환자에게는 없어야 할 근육이 생겨서는 안 된다는 것이 그 이유였다는 것이다.

만난 것은 늦었으나, 내가 한문과 서예를 배우던 연하年下의 스승이자 지기知己이며, 또한 술벗으로 현천玄川이라는 서예가이자 한학자, 시조시인이 있다. 어느 날 뜻하지 않게 뇌일혈로 쓰러지더니, 뇌수술을 받고서야 깨어나 목숨은 건졌으나 오른 쪽 거동이 불편한 몸이 되었다. 그 역경을 이기고 불굴의 의지로 일어나 왼손 서예를 시작하더니 마침내 회갑전을 열었다. 거기 왼손 글씨로 써 걸었던 뜻 깊은 한문 자작시 두엇 우리말로 번역하여 소개하면,

백발의 인생은 늙어가지만
항심恒心은 변치 않는 뜻이 있다오
시서詩書는 평소에 좋아하였고
약주藥酒는 한 잔으로 가볍게 든다오.
또

산장에 봄날이 좋아
주인이 누구인지 묻지 않는다
땅 가득 수풀 꽃이 떨어지는데
금낭에는 스스로 얻은 시 한 편.

현천이 병후에 끈기와 인내로 각고刻苦하여 터득한 내려놓음下心,
이것 역시 목숨을 건 불굴의 프로정신으로 가슴을 울린다.

우리나라 축구가 2002년 월드컵 4강 신화를 이룬 뒤 '히딩크 리
더십'을 삼성경제연구소가 연구하여 발표한 적이 있었다. 세계적 코
치의 남다른 프로정신을 원칙과 전략 양 측면에서 접근하여 하이 파
이브HI-FIVE라고 재미있게 영어표현의 머리글자를 따서, 요약하였
던 것이 기억나서 찾아보니 아래와 같다.

원칙(HI) : 꿋꿋함과 소신Hardiness, 공정성Impartiality
전략(FIVE) : 기본의 강조Fundamentals, 혁신추구Innovation,
　　　　　　가치공유Value Sharing, 전문기술 활용Expertise

특히 우리나라 축구의 패러다임을 바꾸어 선수들이 두뇌를 활용,
생각하는 축구가 가능토록 지도함으로써 그 수준을 여러 단계 업그
레이드 하였으며, 칭찬과 인정을 통하여 선수들 내부에 잠재한 강점

을 찾아내 이를 최대한 신장시켰다. 그 뿐 아니라 팀 구성원 간의 의사소통을 원활하게 하여 팀워크를 이루게 한 것은 히딩크 감독이 코칭 리더십의 진수를 드러낸 것이어서 과연 명불허전名不虛傳이었다.

한 신문에 연재되던 필자의 글을 읽은 어느 동료 코치 한 분이 고마운 피드백을 해 주었다.

"허 코치의 글 내용은 좋기는 좋은데, 너무 코치의 수동적 역할만을 조명하는 데 치우쳐 있는 것 아닌가요? 코치가 고객에 미치는 능동적 영향에 대해서도 언급이 있었으면 좋겠습니다만…"

듣고 보니 옳은 말이어서, '프로정신'을 빌어 그 답에 대신하려고 코치의 마음가짐 몇 가지 예를 위에 들어보았다.

잘 알려진 증자曾子의 글 "하루에 자신을 세 번 돌아다본다吾日三省吾身"를 코치의 좌우명으로 인용해 보자.

마지막 구절 '전불습호傳不習乎'는 "익히지 않은 것을 전하지는 않았는가?" 하는 점을 뒤돌아 반성한다는 것이니, 이것 역시 요즘 표현으로라면 철저한 프로정신을 나타낸 것이 아닐는지.

어떻게 기억되기를 원하는가?

프로다웠던 삶, 프로다웠던 코치로 기억되기를 추구할 뿐이다.

내면 깊숙한 곳에
자리한
트라우마 깨는 법

내면기행

어떤 성공한 사업가가 자신도 모르는 사이에 조금씩 몸에 이상이 생기는 것을 발견했다. 여러 가지 검사를 해 보았으나 결과에는 아무 이상이 없어서, 하는 수 없이 친구인 의사를 찾아가 통사정을 하기에 이르렀다. 친구인 의사는 그가 가져온 검사 데이터를 훑어보고, 그의 이야기를 귀담아 듣더니 밀봉한 처방전 네 장에 순서를 매겨 내밀며 그가 가장 좋아하는 장소를 찾아가 이를 세 시간마다 순차적으로 개봉하고 거기 쓰인 지시대로 이행하라고 일렀다.

사업가는 미심쩍은 마음을 누르고 의사 친구의 처방을 따랐다. 어릴 때 놀던 해변가를 아침 일찍 홀로 방문한 것이다.

세 시간마다 개봉한 처방전 각각에는 눈에 익은 친구의 달필로 각기 아래와 같은 글들이 쓰여 있었다. 내면기행의 로드맵이었던 셈이다.

"귀 기울여 들어라Listen carefully."
"과거로 돌아가 보라Try reaching back."
"삶의 동기를 재검토하라Re-examine your motives."
"남은 걱정을 모래 위에 써라Write your worries on the sand."

해변에서의 하루를 친구의 처방에 따라 내면기행으로 보낸 사업가는 자신의 병이 그릇된 삶의 동기, 밝혀지지 않은 자신의 정체성으로부터 온 것임을 깨달았다는 것이다.

1960년 〈리더스 다이제스트〉에 실렸던 아서 고든의 통찰력 있는 글 '해변에서의 하루'를 뼈대만 추려 요약한 것이다. 추억의 장소에 홀로 앉아, 세 시간의 들음으로부터 내면기행을 시작한다는 것이 어린 마음에 와 닿았던 기억이 가물가물하다.

언젠가 수요일까지는 과제 수행한 결과를 보내오고 금요일에 만나 이어지는 코칭 세션을 갖기로 약속한 한 여성 고객이 몸이 아파서 과제 수행을 못 했으니 코칭 세션을 다음 주로 미루는 것이 어떻겠느냐고 양해를 구해왔다. 잠시 후 다시 생각을 바꾸어 몸과 마음이 함께 불편한 것 같다고, 이 점을 코칭 주제로 삼아 금요일 코칭 세션을 예정대로 진행해 줄 수 있겠느냐고 물어왔다. 도움을 필요로 하는 시기에 도와주는 것이 코치의 당연한 임무라는 생각에서 응낙하고 금요일을 기다려 만나보니, 과연 입술에 터진 열꽃 자국이며 핼쑥한 얼굴이 몹시 안쓰러웠다.

이런 경우 코치는 '함께 있어주기' 코칭을 수행하는 것이 필수이다. 고객의 고유 진동수에 자신의 진동수를 맞추고, 고객이 아픔에서 도망치려 할 때 오히려 이를 붙잡아 심화하는 내면기행을 통해 이에 직면하게 하는 동시에, 그 아픔을 겪는 과정, 그로부터 스스로 벗어나는 과정에 함께 있어 주는 것이 코치의 임무이기도 하다.

소리굽쇠의 공명 현상을 살펴보면, 두 소리굽쇠의 고유진동수가 같은 경우 망치로 쳐서 물리적 진동을 일으킨 한 쪽 소리굽쇠의 에너지가 파동에 의해 전달되어 가만히 놓아둔 다른 소리굽쇠의 물리적 진동까지 야기하는 것을 볼 수 있다. 고객과 코치 사이에 에너지를 주고받는 것도 이와 같은 파동 현상이어서, 고객과 진동수를 맞출 수만 있다면 그저 함께 있어주는 것만으로도 고객 내면 깊숙한 곳에 자리 잡았던 트라우마Trauma의 껍질이 깨어지는 것을 얼마든지 도와줄 수 있게 된다.

선임 하사관의 구령에 따라 대오도 정연하게 발을 맞추어 행진하던 군대가 다리를 지나가게 되었다. 선임 하사관이 다리 앞에 오자 갑자기 행진을 멈추게 하더니, "제 걸음으로 가!"라고 명령한다. 모

두들 대오를 흐트러뜨리고 제각기 자유 보폭으로 걸어서 질서 정연
하던 대열이 금시 오합지졸 같은 모습이 되었다. 무슨 이유인지 물어
보니, 다리와 같은 구조물을 지나갈 때는 이와 같이 대오를 헤뜨려
규칙적 진동이 생기는 것을 방지하도록 야전교범에 쓰여 있다는 것
이다.

아는 사람은 알겠지만 이것은 강제진동을 방지하려는 과학적 근거
에서 시작된 규범이다. 구조물은 그 형태가 확정되면 일정한 고유 진
동수를 갖게 되는데, 이 구조물의 고유진동수와 우연히 일치하는 진

동수를 가진 파동이 비록 작은 규모로라도 가해지면 강제진동이라는 현상이 일어나 진동의 폭이 무한대로 커지고 결국 자체 진동의 확산에 의해 구조물이 무너지고 파괴되는 현상이 생긴다는 법칙이다.

이런 물리적 법칙은 이미 수천 년 전부터 인류에게 알려져 있던 법칙이었다는 것이, 구약성서 여호수아 6장 '여리고Jericho 성의 함락' 기록을 읽어보면 알 수 있다.

"이에 백성은 외치고 제사장들은 나팔을 불매 백성이 나팔소리를 듣는 동시에 크게 소리 질러 외치니, 성벽이 무너져 내린 지라."

《중아함경》'아리타경'에 보면 가아假我의 요새, 그 성벽을 깨뜨리는 장면이 나온다.

"이와 같은 비구는 이미 해자를 메웠으며, 해자를 건넜으며, 적의 요새를 깨뜨렸으며, 성문의 빗장을 풀었고, 지극한 깨달음의 거울을 곧바로 들여다 볼 수 있게 된 것이니라."

위대한 코치, 부처가 중생의 근기에 최대한 맞춰 보내온 파동에 우리 중생이 진동수를 맞추어 공명하는 순간 일어나는 몰록 깨달음의 현상을 기술한 것이다.

이상적인 관계는
도반과 같은 존재

고객과 코치

코칭 교과서를 보면 때로 어이 없어 하품이 나온다는 것이 코치들 끼리 하는 객쩍은 불평이다. 코칭 전문가 양성을 위해 써놓았다는 전문서적을 보면 한 마디로 성인·군자가 되어야 좋은 코치가 될 수 있다는 것에 다름없는데, 그러면서도 고객이 느끼기에는 격의 없는 친구가 될 수 있도록 때로는 더듬대거나 소탈하기도 해야 한다는 것이고, 동시에 너무 망가져서 성실성을 의심 받는 일이 생겨서는 안 된다는 것이니 참으로 난감하다는 것이다.

그 뿐 아니라 코칭이야말로 리더십의 발현이므로 격물치지格物致知: 사물의 이치를 궁구하여 앎을 완전하게 함 성의정심誠意正心: 뜻을 성실히 하고, 마음을 바르게 가짐, 자기 리더십을 굳건히 갖추고, 인간관계 리더십

117

의 승-승 원칙에 충실함으로써 중생의 서로 다름을 축복으로 받아들여, 시너지에 대한 분명한 믿음을 갖고, 커뮤니케이션의 제 법칙을 따라야 함은 물론으로 되어있다.

작고한 김대중 대통령 시절에 모 일간지의 주필이던 같은 이름 다른 사람인 기자 김대중 씨가 대통령에 대하여 직설적으로 "아이들은 아버지의 뒷모습을 보고 자란다"는 제목의 의미심장한 칼럼을 썼던 것을 기억한다. 두려운 것은 우리의 삶이 삶 그 자체로만 평가 받는 것이 아니라, 그 삶이 어떤 자식을 낳게 한 삶이었는가 하는 것으로도 평가된다는 점이었다. 그래서 짐짓 아들에게 물어보았다.

"아버지의 삶을 너는 어떻게 생각하지?"

빙그레 웃기만 할 뿐 대답이 없다. 이 녀석이 감을 잡은 것이다. 아버지의 이른 바 코칭 질문에 섣부른 답을 했다가는 또 무슨 봉변을 당하는지 모른다는 경험칙이 작동한 것인지도 모른다.

코치들 사이에서도 배우자 코칭과 가족 코칭은 가장 어려운 코칭이라고들 말한다. 한국리더십센터 고현숙 사장이 쓴 글 '배우자 경청Spouse Listening' 에 이런 장면이 나온다.

어느 날 저녁 신문을 보던 남편이 아내를 불렀다.

"여보, 이것 좀 봐. 여자들이 남자보다 2배나 말을 많이 한다는 통계가 실렸네! 남자는 하루 평균 1만5천 단어를 말하는데, 여자들은 3

만 단어를 말한다는 거야!"

이 말을 들은 아내가 말했다.

"남자들은 여자가 늘 똑 같은 말을 두 번씩 하게 만들잖아요. 그러니까 두 배지!"

약 3초 후에 남편이 아내를 향해 물었다.

"뭐라고?"

위와 같은 말하기·듣기 패턴도 재미있는 문제를 많이 만들어 내지만, 가족 코칭에는 일반적으로 코치의 어젠다Agenda가 있는 것이 문제인 경우가 많다. 아무리 아닌 척 해도 "가정을 위해서 아내의 이런 습관은 바꾸도록 코칭해야지"라든가, "이 아들 녀석은 지금 가치 판단이 잘못되어 있으니, 이것을 코칭을 통해 바로잡아 놓아야 해"라든가 하는 의도가 코치의 마음속에 은연중 내포되어 있음을 부정할 수 없다는 것이다. 그러면서도 코칭의 결과가 여의치 않은 것에 대해 코치가 고객 탓(?)을 하게 되는 것도 바로 이 가족 코칭의 특성 중 하나이다.

가족이 코칭의 대상으로 별로 달갑지 않은 고객이라면 어떤 고객이 좋은 고객일까? 우선 마음의 연결이 잘 되는 고객이 코치에게는 반갑다. 코치를 전지전능한 도우미로 보지 않고, 한계가 분명한 전문가Professional로 보는 고객, 고객 스스로가 코칭을 통해 무언가 얻기를 희망하고 그런 희망을 굴절 없이 코치가 제공한 비밀보장의 테두리 안에 믿고 풀어놓는 고객, 선택이 분명하고 자신이 선택한 바는 책임을 갖고 실행하는 고객, 이렇게 쓰다 보니 최고의 고객은 코칭이 필요 없는 고객이라는 억설이 될는지도 모르겠다.

서로 마음으로 연결되고 통하여, 상호 지지支持를 느끼는 도반道伴과 같은 존재가 아마도 가장 이상적 고객일 것이나, 그런 경우라면 삶의 방식이 아닌 직업으로서의 코치는 의미가 많이 퇴색하게 될지도 모른다.

CEO 코칭을 시작하는 경우, 나는 미리 마련한 한 페이지 정도의 코치의 역할 리스트를 고객 앞에 내밀고 첫 번째 세션을 시작한다. 고객에게 자신이 필요로 하는 코치의 역할을 선택하도록 종용하는 것이다. 어떤 CEO 고객은 자신을 비추어 보는 거울과 같은 역할로 코치를 활용하기도 하고, 어떤 고객은 침묵하는 경청자, 에너지를 북돋아 주는 지지자, 또 어떤 고객은 자신의 리더십 패러다임 전환을 위한 조언자, 리더십 기술의 연마를 위한 스파링 파트너의 역할을 맡기기도 한다. 외국의 예지만 글로벌 대기업의 CEO들 중에는 코치를 업무여행에 동반하여 여행 기간을 생산적으로 활용하는데 도움을 받기도 하고, 심지어는 휴가 중에까지 동반하여 창의적인 대화상대 Chatting Partner의 역할을 맡기는 경우도 흔히 있다고 한다.

《무궁화 꽃이 피었습니다》라는 픽션의 원치 않는 주인공이 되었던 핵물리학자 고故 이휘소 박사의 이야기이다.

　당시 핵물리학 연구가 국내에서 진행되기를 원했던 박정희 대통령이 이휘소 박사의 애국심에 호소하여 간곡히 그의 귀국을 권유하였다 한다. 연구 장비든, 연구소 환경이든 무엇이든 미국의 연구소와 똑같이 해줄 것을 약속하였으나, 심사숙고 끝에 나온 이휘소 박사의 대답은 "No!"였다. 채팅 파트너가 없으면 창의적 연구를 이어 가지 못한다는 점을 이유로 들었다는데, 당시 대통령과 그 주위의 사람들이 코칭의 마법에 대하여 알았을 턱이 없으니, 이 말의 진의를 얼마나 이해했을는지 자못 궁금하다.

오감의 격외 체험을
통틀어 찾아보라

정말로 원하는 것

코칭 전문 과정에서는 코칭이 어느 정도 궤도에 오르면 아래와 같은 질문들이 강력한 질문이 된다고 가르친다.

'당신이 원하는 것은 무엇입니까?'
'당신이 정말로 원하는 것은 무엇입니까?'
'그로부터 당신을 가로막고 있는 것은 무엇입니까?'

그러나 앵무새처럼 이런 류의 이른 바 강력 질문들을 외어서 적당한 기회에 사용하는 것만으로는 소기의 효과를 거둘 수 없다. 같은 질문이라도, 고객 쪽에 자기성찰의 환경이 무르익었는가의 여부를 먼저 살펴야 한다. 코치가 고객 내면의 변화를 주시하고 있어야 한다는 뜻이다. 이런 질문을 시의 적절하게 자유자재로 사용할 수 있다는 것이 흔히 이야기하는 코치의 내공이라 할 것이다.

우리는 눈으로 보고 귀로 듣고 코로 냄새 맡는다.

얼마 전 모 호텔에 손님을 만나러 갔다가 우연히 눈에 띈 모임의 이름이 있었다. 문향회聞香會라는 명칭의 꽃꽂이 모임이었다. 문향이란 향을 맡고 그 우열을 가리는 일을 말하는 예부터 내려온 시적 표현이지만, 문자 그대로 향香이 어우러지는 것을 듣는 모임이라니 얼마나 멋진 이름인가?

이에 비하면 조금 삭막하지만, 초음파를 발산하여 시각을 대신하는 박쥐는 목표물에서 반사되어 오는 초음파를 듣는 귀가 눈이 되는 셈이니, 시각과 청각의 구분 또한 방편일 뿐이다. 더 나아가서 중생계의 크고 작은 고뇌의 소리를 자비로서 바라보는 글자 그대로의 관음觀音은 어떤가?

고객이 정말로 원하는 것이 무엇인지 상상하고 알아차리는 능력은 그러므로 경청을 넘어서는 오감五感의 격외格外 능력이므로 억지로 이름을 붙여 맥락적 경청이라 한 것이다. 그러면서도 이를 질문으로 삼아 묻고 그 질문이 강력한 질문이라고 추켜세우는 이유는 무엇일까?

고객과 코치 사이에 연결이 이루어졌을 때, 코치가 진정성에 입각하여 질문하면 고객은 그것이 어떤 질문이든 성실하게 답변하려고 노력하게 된다. 이 과정이 고객에게 작용하여 고객은 과거 언젠가 만들어 놓은 자신의 목표가 아직도 변함없이 삶의 근본 목적에 부합하는가를 재검토해 보게 된다는 것이다.

목표라는 것은 이루기도 전에 바뀌는 경우가 다반사이고, 그런 점이 바로 변화와 성숙을 거듭하는 인간의 자연스러운 본성의 한 부분이다. 처음 계획했던 목표를 이루고 싶은 마음이 이미 희미해졌는데 계속 그 마음을 붙들고 늘어질 필요는 없다는 것이다. 원래 품었던 목표가 의미를 상실했다면, 그것은 곧 자신이 정말로 원하는 것이 무엇인지 새롭게 되새겨 보아야 할 때가 되었음을 알려주는 표시이다. 이때에 맞아 떨어지는 것이 위에 기술한 코칭 질문이므로 강력질문이라 한 것이다.

한 친구가 필자에게 대학 졸업하고 취업 준비를 하는 아들을 보내왔다. 아들이 무언가 하기는 하겠다는 것이 더러 있는 것 같은데, 자기가 들어서는 무엇을 하겠다는 소리인지 모르겠으니 나더러 좀 이야기를 들어보고 이른 바 커리어 코칭을 부탁한다는 것이었다. 들어보니 하고 싶은 것이 대단히 많았다. 돈을 많이 벌고 싶고, 돈 버는 과정이 즐거워야 하고, 또 사회에 공헌하는 일을 하고 싶고, 남이 즐거워하는 것으로 보람을 삼는 직업이었으면 좋겠고, 활동적이어야 하고, 창의적이어야 하고, 부모의 후광이나 재정적 도움은 받고 싶지 않은 등.

그래서 구체적으로 어떤 직업을 머릿속에 그려보았느냐고 물었더니, '수제 햄버거' 집 주방장 겸 주인, 아니면 패션상품 제조 판매 회사의 경영주라는 일견 엇갈린 엉뚱한 두 가지 대답이 나왔다.

그가 정말로 원하는 것은 무엇이었을까?

결론만 이야기 한다면, 그는 필자와의 커리어 코칭을 통하여 자신이 정말로 원하는 것이 "창의적인 노력의 결과로 많은 사람을 기쁘게 하는 상품을 만드는 자신만의 기업을 갖는 것"이라는 잠정 결론에 도달하였다. 그 성취를 위한 첫 단계로서, 세계 브랜드 상품 개발을 목표로 하는 야심만만한 중소 규모의 패션 액세서리 기업에 지원하여, 이 기업이 최고의 브랜드 가치를 창출하고 세계시장을 목표로 성장한다면 이 회사와 함께 자신도 세계적인 패션업자로 성장하도록 혼신의 노력을 다 하겠지만, 만약 그렇지 못하다면 자신은 그와 같은 목표를 가진 다른 기업을 찾아 이직할 수밖에 없을 것이라는 자신의 포부와 조건을 밝히고 선발되었다.

삭티 거웨인이라는 사람이 쓴 《그렇다고 생각하면 진짜 그렇게 된다》라는 긴 제목의 책에서는 "생각은 보이지 않는 씨앗이다" 라는 점을 강조한다. 가장 소망하는 것을 상상력으로 창조해내는 방법 중

하나인 시각화Visualization를 통해서 우리 스스로가 인생의 주인공임을 새삼 깨닫게 할 수 있으며, 이로써 시각화 된 소망을 성취하게 된다는 것이다.

시각화라고 표현하였지만, 청각화, 촉각화 등 오감의 격외체험格外體驗: 격식과 틀을 초월한 체험까지 통틀어 결국은 마음이니, 유루有漏의 세계를 통섭하는 일체유심조의 깊은 뜻에는 미치지 못하나 크게 벗어나지는 않는다 하겠다.

* 유루(有漏): 인간이 번뇌 때문에 각종의 악업을 행하고 그 결과 고(苦)가 그 사람의 삶에 누출되어 나타나, 그로 인해 미혹의 세계를 윤회하게 된다는 것

쉬운 진리 멀어지고
보는 데만 집착

코치의 과학관 1

필자는 명색이 화학공학을 전공한 전문경영인이었으므로 한국화학공학회의 일을 맡아 한 인연도 있었다. 1966년에 대한석유공사 유공에서 시작한 직장 생활을 1998년 꼭 32년 만에 SK로 이름이 바뀐 같은 직장에서 마감하고 경영직에서 은퇴하여 SK아카데미라는 교육기관에 교수직을 맡게 되자, 회고담을 학회지에 기고해 달라는 청탁을 받게 되었다.

차일피일 미루다가 마침 개인 홈 페이지를 개설 중이었으므로 그 내용을 주제로 하여 '게으른 자의 겉핥기 인생'이라는 제목으로 잡문 하나를 써서 기고하였다. 꼭 10년 전의 일이다. 남과 나눌 만한 통찰이 부족한 삶을 산 것에 아쉬움을 피력한 대목 중 필자의 과학관이

드러나 있는 부분이 있어 아래에 소개한다.

전략(前略)

공과대학 입학을 시작으로 계산자와 유효숫자 세 자리 인생이 시작되었는데, 취직해서 공장설계랍시고 하다 보니 어려운 공식으로 애써 구한 유효숫자의 정확도와 자부심이 이런 저런 허용차 allowance 예컨대, 부식허용차, 안전허용차, 게다가 상업적으로 생산되는 철판 두께는 다음 얼마짜리 규격밖에 없다는 둥 때문에 뭔지 모르게 되어 버리고 만다.

그래서 무얼 들여다보고 살아야 할지, 과학만능세대라니 과학자들 하는 짓을 훔쳐보니 그것도 가관이다.

20세기 인류의 커다란 성취라는 허블Hubble망원경을 위성 궤도에 올려놓고 주야로 '우주 저 깊숙이'를 들여다보던 과학자들이 마침내 우주의 나이가 120억년에 불과 (과거에는 150억년으로 추정) 하리라는 추론을 발표하자 난감한 천문학자, 천체물리학자가 무더기로 생겨난다. 필생의 연구가 무너지는 소리에 억장도 무너진다는 얘기다.

한편으로는 페르미연구소니, CERN이니 하는 거대한 입자가속기를 만들어서 우주의 기원과 물질의 본질을 찾아보겠다는 참으로 가상한 목표를 세워 놓고 일로 매진 중인데, 자꾸만 새로운 입자는 발견되지만 아마도 본질 그것은 입자가 아닐 것 같다는 얘기며, 그런 본질을 꼭 물질 속에서만 찾는다고 찾아질지 보장도 없어 보인단다. 차라리 불서佛書《기신론起信論》을 들여다보면, 지름 수 km 총 길이 수십 km된다는 입자가속기 여러 수백억 불 들여 만들지 않고도, 진여문眞如門과 생멸문生滅門의 이야기가 물질·비물질 이야기보다 수승殊勝한 것 같아서 본질을 다루는 논리로 그럴 듯 해 보이며, 그러면서도 과학처럼 뒷문을 열어놓은 상태가 아닌 나름대로 추론의 결론이 일단은 준비되어 있다.

더욱 재미있는 것은 백 수십억 년의 우주 역사, 무한 소립자의 세계, 유전자의 비밀, 이런 것들을 자유자재로 다룬다는 현대 과학으로도 불과 5000년 전의 인류역사를 재구성하는 데에는 이견異見이 많다. 어떤 과학자는 태양계는 1000년 단위의 시간 축Time Span으로 볼 때 안정된 계界가 아니라고 주장한다.

예컨대 금성이 5000년 전에 지구와 근접충돌과정을 거쳐 태양계에 예속되게 된 혜성이었다고 말하는 Velikovsky의 이론도 있는데, 다른 정통과학자들은 그런 건 사이비과학Pseudo Science이다 하고 매도하면서도 현대 과학으로 풀 수 없는 예외 현상들을 설명할 이론이 마땅치 않아 (금성 탐사선이 금성에 도착해 보니 그 표면온도가 정통과학의 온실효과이론으로 설명 가능한 온도보다 훨씬 높아 오히려 Velikovsky의 추정온도가 더 가까웠다고 한다) 다툼이 계속되고 있다.

어떤 진보적 생물학자는 유전자gene만 가지고는 생물의 형태를 결정하는 요인을 설명할 수 없으며, 축적된 기억, 습관 이런 것들이 '형태생성의 장Morphogenetic Field'을 만들어서 생물의 형태와 진화가 결정된다고 하는데 이것은 불서《유식론唯識論》에 나오는 제8 저장식貯藏識인 아뢰야식의 모습과 너무나도 흡사하다.

그런데다 이런 공부들이 종합되어 진리를 추구하는데 쓰이는 일 없이 제가끔 뿔뿔이라니, 원… 잘난 분들은 나날이 불어나고, 쉬운 진리는 나날이 멀어져만 간다. 다 보는데 집착한 때문이다.

후략後略.

코칭이 과학인가 아닌가 하는 명제가 있다고 해서 필자의 외골수 과학관을 들먹여 보았다. 과학이 관찰로부터 시작되며, 관찰 측정 가능한 대상과 추론만을 다룬다고 협의로 해석하면 코칭은 과학의 범주에서 벗어날지 모른다.

과학이면 어떻고 아니면 어떤가?

다만 코칭이 고객 마음의 변환Transformation을 다루는 프로세스라 할진대, 최면 기법이나 NLP기법, 이른 바 영성靈性기법, 명상기법 등을 신념이라는 이름으로 남용하기 이전에 전세계 식약청이 신약新藥 인증에 기하는 과학적 신중성慎重性의 몇 십 몇 백 분의 일이라도 고객의 미래와 정신 건강을 위하여 고려하는 자세를 가져야 할 것이다.

돌이킬 수
없는 것에 대하여

코치의 과학관 2

얼마 전, 중국의 장강 물길 천리千里, 삼협三峽 유람선 관광을 다녀왔다. 상류인 중경重慶에서 출발하여 삼협댐을 갑문閘門으로 통과, 의창宜昌까지 내려오는 3박4일의 물길 여행이다. 작고한 아시아의 물개 조오련이 시도하려다 이루지 못한 '장강 종영長江 縱泳'의 꿈길도 아마 이 길이었을 것이다.

유비가 한漢의 유업을 잇는 숙업을 끝내 이루지 못하고 마침내 떨어진 별이 된 백제성白帝城. 어린 자식들을 제갈공명과 조자룡에게 부탁하는 병석의 유비 그 눈물겨운 모습을 탁고당託孤堂에 진흙상泥像으로 빚어 재현해 놓았다.

내려다 보면 삼협의 첫 번째 구당협瞿塘峽 첫 자락의 웅자雄姿가 보

131

인다. 붉은 투구 모양의 적갑산赤甲山과 검은 구름 머리 오운정烏雲頂,
두 까마득한 절벽이 버티고 서서 갑작스럽게 비색否塞해진 물길을
외다리 귀신이 지키는 문, 기문夔門이라고 부른다. 그 사이를 겉으로
는 태연한 듯, 빠른 걸음이 되어 흐르는 물길이 바로 구당의 상협上峽
이 된다. 옛 시인이 구당-웅雄, 무협巫峽-수秀, 서릉西陵-기奇로 일컬
어 노래하던 바로 그 구당이다.

구당을 이야기 하자니 북송 때의 소동파(蘇東坡, 1037~1101)와
왕안석의 고사*를 그저 지나칠 수 없다.

소동파가 사천泗川의 부친상을 끝내고 물길로 온다는 것을 알게 된
당시의 재상 왕안석이 서신을 보내어 구당 중협中峽의 물 한 단지를
떠오도록 부탁했다. 왕안석은 당시 위병을 앓고 있었는데 궁중 의사
의 처방이 이 병은 양선차陽羨茶라는 차를 달여 마시어 고칠 수 있는
데, 반드시 구당 중협의 물을 사용하여 끓여야 한다는 것이었다.

부탁을 받은 동파가 구당협을 빠른 배로 지나는데, 웅장한 구당협
의 모습에 끌려 이를 완상玩賞하다가 중협을 지날 때에는 물 긷는 것
을 잊어버리고, 그 생각을 해냈을 때는 배가 이미 하협下峽에 이르고
있었다. 뱃사공에게 부탁하여 배를 돌리려 하였으나, 물살 따라 화살
과 같이 가는 배를 어찌 돌릴 수 있을 것인가? 하는 수 없이 장강의
물이 상, 중, 하협 모두 이어 흐르는 같은 물인데 꼭 중협의 물을 떠가
야 할 것이 무엇이랴 스스로 발명하고, 하협의 물 한 단지를 대신 길

어 봉하여 왕안석에게 가져가게 되었다.

　왕안석이 사의謝意를 표한 후 곧 하인에게 단지를 열도록 명하여 한 병의 물을 떠서 끓이고 양선차 한 줌을 퍼서 끓는 물속에 넣으니, 차색茶色이 반 식경이 지나서야 비로소 나타났다. 왕안석이 이를 기다려 묻기를,

"이 물을 어느 곳에서 떠왔습니까?"

소동파는 부득불 대답하지 않을 수 없어,

"중협입니다."

안석이 다시 묻기를,

"정말 중협입니까?"

동파는 파탄이 난 것을 알았으나,

'예, 중협입니다."

라고 우길 수밖에 없었다.

왕안석은 머리를 흔들고 기이하게 웃으면서,

"이것은 하협의 물이 분명합니다. 자첨子瞻: 소동파의 자께서는 왜 노부를 속이십니까?"

동파는 깜짝 놀라서 곧 물 긷던 진상을 일일이 말하고 나서, 다시 용기를 내어 묻기를,

"제가 우매하여 그러하였으니, 삼가 죄를 용서하여 주십시오. 재상께서 어떻게 이것이 하협의 물인지 그 가부를 판단하실 수 있습니까?"

왕안석이 솔직한 동파의 사과에 노기를 거두고 말하기를,

"구당의 수성水性은《수경보주水經補註》라는 책에 보면 알 수 있는데, 상협의 수성은 너무 급하고, 하협의 수성은 너무 느슨하니, 오직 중협의 물만이 완급이 반반이라 수성이 중화中和하다고 하였습니다. 이 물로 양선차를 끓이면 상협의 맛은 짙고, 하협의 맛은 담담하며, 중협의 맛은 그 사이인데, 차색이 더디게 나타나는 것을 보고 반드시

134

하협의 물임을 알았던 것입니다.”

이 이야기는 여기서 끝인데, 나는 이 글에 ‘코치의 과학관’이라는
이름을 다시 붙였다. 앞의 이야기에서 어줍잖은 과학 이야기를 꺼내
기는 했는데, 하고 싶은 이야기에서 벗어나 그만 삼천포로 빠져서,
코칭계 일각에서 충분한 임상(?)적 입증 없이 무의식 세계에 무단
접근함으로써 코칭의 효과를 극대화 하려는 움직임이 있는 것에 대
한 우려를 표명하는 것으로 이야기를 끝마쳤었다.

불교 수련 중 자칫 빠지기도 하는 선병禪病, 무병巫病 등을 미연에
방지하려는 눈 밝은 선지식들의 노력이 꾸준함에 비하여, 코치의 윤
리강령에서는 코칭과 정신의학, 상담의학 사이에는 분명한 경계를
설정하면서도, 코칭과 종교행위 사이에는 경계 설정을 시도하지 않
는 것이 눈에 뜨인다.

이 글을 통하여 나는 돌이킬 수 없는 것들에 대하여 이야기 하고
싶었다. 어떤가, 코치와 지망생, 고객 여러분은 이 고사에서 나름대
로 어떤 배움을 얻은 것이 있겠는가?

* 이 고사(故事)는 楊濤 저, 정충락 역 《문예의 천재 소동파》에서 인용.

'부처' 떼어 버리고
가르침만 보여줘라

이름을 떼어 버려야

경주 어느 주택가에서 수도 검침원이 검침하러 한 집에 들렀다가 빨래판으로 사용되고 있는 돌에 각문刻文이 있는 것을 유심히 살펴보니 그것이 200여 년 전 정조 때 사라져 행방이 묘연하였던 문무왕릉비의 깨어진 윗조각이었다고 하는 신문기사를 읽은 적이 있었다. 궁금하여 알아보니 발견자는 신라문화동인회라는 경주 문화사랑 동인모임의 회원이었다는데, 이분의 호기심과 열정을 일깨우고 이에 전문성을 더해준 분들이야 말로 코치라는 직업은 갖지 않았을 터이나, 진정한 코치임에 틀림없을 것이다.

중화사상을 자처하는 중국인, 특히 학자들의 자부심은 대단하다. 세계 각국이 모두 라틴어에 기원을 둔 공통 원소기호를 영자 표기로 쓰고 있다는 사실을 아시는 분은 알 것이다. 세계에서 유일하게 중국만은 이를 받아들이지 않고, 원소 하나 하나에 한자漢字 표기를 고집하고 있는데, 새로운 원소가 발견되면 이에 해당하는 새로운 한자를 새로 만들어 대응한다. 국제화 시대, 특히 학문의 국가 벽이 허물어진지 오래된 현대과학의 시대에 이르러 이와 같은 국수주의의 대가로 치러야 하는 여러 직간접 비용이 막대함에도 불구하고 중국은 이를 바꾸려는 기미를 보이지 않는다. 그 바탕을 흐르는 생각은 우주만물을 이루는 근본 요소는 세계·우주의 중심인 중국어로 표시되어야 한다는 기본 위에 서 있다. 이렇게 자부심 강한 중국인이 자기네 나라 말의 자전字典 중 남의 나라에서 편찬한 사전을 표절하여 사용하고 있는 것이 있다면 여러분들은 믿겠는가?

　필자도 소장하여 자주 애용하고 있는 모두 열두 권의《대한화사전大漢和辭典》이 바로 문제의 사전인데, 중국이 자랑하는《강희자전康熙字典》보다 더 방대하고 정밀하다는 것을 중국학자들도 인정하고 이를 중국어로 번역하여 사용하고 있다. 이는 일본인 모로하시 하쓰지라는 분이 눈을 너무 혹사하여 한쪽 눈을 실명까지 하며 일생을 바쳐 편찬한 것인데, 그 편찬 동기가 도쿄고등사범 시절의 담임 마쓰이 간지 선생의 "한자 사전은 쓸 만한 것이 없으니 한 번 만들어 보라"는 한 마디였다니, 마쓰이 선생은 대단한 코치, 모로하시 씨는 대단히 진국인 고객이었던 셈이다.

동학사에서 강백講伯 스님들을 모시고 '리더십' 소개를 하고 난 2006년의 가을이었다. 저녁 공양 시간에 앞에 앉아 공양을 마치신 스님과 포교의 어려움에 대하여 이야기를 나누다가 불교를 가르치는데 불교라는 이름을 떼어버리는 것이 훨씬 효과적일 것 같다는 말씀을 나누게 되었다. 세상만사 그저 그러함이 착着을 떠나면 바로 불법이니, 부처 떼어버리고 가르침만 보여주는 것도 모든 중생에 대한 설법으로 더 효과적이지 않겠느냐는 말씀으로 들었다.

코칭 역시 그러하다. 상대가 누구든지 그를 배려하고 경청하며, 그가 스스로 깨닫도록 하는 질문을 그의 언어로 고안하여 물어주고, 그를 위하는 간절한 마음으로 인정·칭찬하여 용기를 북돋으며, 때로 그의 고착된 사고에 도전하여 기왓장 갈아 거울 만들려는 우를 범하지 않도록 시야와 시각을 바꾸어 주는 코칭적 삶의 방식을 일상으로 삼게 된다면 굳이 코칭이란 이름을 빌어 번거로움을 자청할 필요가 없이도 시너지를 이루는 상의성相依性의 세계가 펼쳐지게 될 것이다.

아내가 단골로 다니는 미용실에 따라가서 머리 커트 하던 날, 내 머리를 만져주던 줄리라는 애칭의 미용사 아가씨에게 물었다.

"헤어 디자인 공부를 제대로 하려면 어떻게 한다지?"

대답 없이 입을 손으로 가리며 웃었는데, 아마도 성찰 질문이 되었을 것이다.

"금배지 차라리 떼어 버리세요"라는 제목으로, 금배지의 문양을 어떻게 할 것인가를 놓고 왈가왈부하는 국회의원들의 덜떨어진 특권의식을 꾸짖은 글을 읽은 적이 있다. 그러고 보니 20~30년 전까지도 훈장처럼 가슴에 달고 다니던 대학생들의 배지가 모르는 새 사라져 버렸다. 코칭이 삶의 방식이라면, 코치도 이처럼 배지를 떼어버려야 진정한 코치가 되는 것이 아닐까?

공자의 정명사상正名思想이란 누구에게나 익숙한 말이다. 군군신신君君臣臣 부부자자父父子子, 임금은 임금답게, 신하는 신하답게, 이름과 실질을 부합시켜야 한다는 뜻이라고 한다. 혹자는 이름을 바르게 짓는 일이 그러므로 무엇보다 중요하다고 하기도 하고, 또 다른 이는 이름에 부합하는 실질이 없으면 바른 이름이라는 것이 허상을 만들 뿐이니 그것을 경계하여야 한다고 풀이하기도 하는데, 내 소견으로는 다만 선후의 차이가 있을 뿐이라 하겠다.

더 들어가면 모두 무명無明의 여섯 가지 거친 번뇌 중 계명자상計名字相*의 미혹일 뿐이니 이를 떼어버려야 진실에 접근하는 길이 트인다는 뜻이 자못 자명하다 하지 않겠는가.

* 계명자상 : 현상에 집착하여 이름을 만들고 이에 분별하는 마음을 내는 6가지 번뇌상 중 하나

사람이 개미보다
잘난 게 뭐지?

연결의 극의(極意)

'사랑'이든 '평화'든 아주 모두에게 잘 알려진 보편적인 단어 하나를 고른다. 그리고는 다섯 명으로 이루어진 팀 구성원들에게 그 단어로부터 연상되는 다른 단어를 각기 열 개씩 쓰게 한다. 그 다음 구성원 다섯이 머리를 맞대고 서로 자기가 쓴 단어들을 맞추어 보게 한다.

다섯 명이 다 함께 공유하는 정확한 단어는 몇 개나 될까? 게임을 하기 전에 추측하도록 해 보면 적어도 열 개 중 3~4개는 공유하는 단어가 생겨날 것으로 모두들 기대한다. 그러나 실제 게임을 치러 보면 천만의 말씀이다. 아주 드물게 하나쯤의 단어를 공유하는 경우가 있기는 하지만, 유감스럽게도 다섯 명이 모두 공유하는 단어는 열 개 중 하나도 없는 것이 통상의 경우이다. 이것은 무엇을 의미할까? 우리는 같은 단어를 놓고 각기 다른 연상을 하고 있다는 것이다. 이렇게 궁극적으로 다를 수밖에 없는 언어 수단을 사용하여 벌이는 사람 간의 연결 시도는 과연 얼마나 완벽히 이루어질 수 있을까?

《개미》《신神》등의 작품으로 한국인이 가장 사랑하는 외국 작가의 한 명인 프랑스 작가 베르나르 베르베르는 실제로 뛰어난 개미 연구가이기도 하다. 그의 소설 《개미》를 읽어보면 재미있는 구절이 눈에 뜨인다. 개미는 완전 커뮤니케이션이 가능한 생물이라는 것이다.

앞의 언젠가의 글에서 시너지 즉 집단 창의력을 저해하는 중요한 장애요소 중 하나로서 불완전한 커뮤니케이션을 들었는데, 베르베르의 이야기를 믿는다면 개미는 연결에 의한 시너지를 이루는데 인류보다 우수한 지구상의 존재라고 말할 수 있겠다. 비슷한 맥락에서 필자가 강의 시에 사용하던 우화 한 토막을 아래에 소개한다.

지금으로부터 몇 세기가 지난 뒤에 지구 밖에 사는 인류보다 더 발달한 문명을 가진 존재(ET?)가 마침내 지구를 공식 방문하기로 결정을 보았다. 그런데 그게 간단치 않더라는 것이다. 지구의 대표로 누구를 만나야 하는가에 논란이 생겼다는 것이다. 인간들은 '그야 당연히 만물의 영장인 우리가 대표지' 하고 거들먹거렸지만 결과는 그렇지 않았다는 것이다. 지구를 방문한 이 문명한 존재들은 개미를 지구의 대표로 삼아 회견을 하고는 인류는 거들떠보지도 않고 떠나려

는 참이었다는 것이다. 자존심에 크게 상처를 받은 인류가 어찌어찌 탄원을 해서 이들을 만나 항의했다고 한다. "어째서 당신들은 지구 상의 가장 문명한 존재인 인류를 젖혀 놓고 개미를 대표로 만났느냐"고. 이들 우주적 존재의 대답을 들어 보자.

"내가 일러 주리라.

첫째, 연고권면에서 개미가 수승殊勝 하니라. 개미는 이 지구상에 몇 억년 이상을 거주해 왔거니와 너희는 겨우 3백만 년이 고작 아니더냐?

둘째, 문명의 발전 단계를 참고함이니라. 너희 인간은 이제 겨우 유전자 조작의 문턱에 들어와 있으면서 다음 밀레니엄에는 어쩌면 유전자 조작을 받아들인 인류와 이를 거부한 인류가 공존할 가능성이 있다느니 어쩌느니 하는 초보적 단계 아니더냐? 개미를 보아라. 그들은 유전자 조작의 역사가 이미 1억 년에 이르러 그 행위가 이미 자연이 되었거니와 일개미, 병정개미, 수개미, 여왕개미, 심지어는 유모개미, 영양저장개미까지 필요한 개미의 종류와 수를 필요한 시기에 만들어 내지 아니하냐? 너희들이 고작 문명이라는 것을 만들어 이제 해놓은 일이 무엇이냐? 자연과 더불어 살지 못하는 문명이 너희 생각에 과연 어떠하냐? 한 십만 년은 갈 것 같더냐, 아니면 만년 남짓이면 그만 도태되고 말 것 같더냐?

셋째, 너희들은 언어와 문자 있음을 자랑하여, '우리가 의사소통의 능력 있으니 우리가 만물의 영장이로다' 하지만, 너희들 중 누군가를 내가 인용하리로다. 너희가 말로 하는 의사소통이 7%를 넘지 못하며, 아직 손짓 발짓으로 하는 의사소통이 55%를 넘는다는 통계를 내가 보았거니와, 개미를 보라. 개미는 일상日常에는 페로몬이라 일컫는 화학 물질을 사용하여 의사소통 하지만 너희와는 달리, 필요한 때에는 더듬이를 마주 대어 붙이고 한 개미가 자신의 기억 속에 저장한 모든 정보를 다른 개미에게 100% 넘겨주는 의사소통 방법을 개발, 사용 하나니, 너희와 개미 중 누가 더 발전된 의사소통을 한다 하겠느냐?"

'인간 상호작용의 9가지 지배원칙' 이라는 것을 잘 정리해 놓은 코칭 핸드북에 보면 "사람은 연결을 통해 성장한다"는 원칙이 나온다.
코치는 맥락적 경청을 통하여 고객이 사용하는 언어를 주의 깊게 살피고, 그 고객의 언어를 도구로 사용하여 그와 에너지 흐름으로 연결된다. 이로써

－고객이 자기 자신과 연결하여 자신감을 확보하는 것을 돕고,
－그가 또한 다른 사람과 연결하여 시너지에 의한 성장잠재력을
　만들어 내도록 도우며,
－주위 상황과 연결되어 주변 사물에 대한 의식이 향상되고
　진정한 자기를 자유롭게 표현할 수 있도록 돕는다.
우리 주위에 편만한 인과因果와 연기緣起의 그물 세계, 이것이 우리의 근기에 맞추어 발현되는 연결의 극의極意가 아닐까, 짐짓 생각해 본다.

게으른 천재여,
안녕

|

Lead, Help, Check

자기계발서가 유행인 시대이다.

어쩌다 보니 내가 써낸 '불교와 코칭'의 잡문雜文 모음도 내 뜻과는 상관 없이 자기계발서로 분류되기도 한다. 행복을 정의하고, 이를 추구하는 방법을 혹자는 리더십이라 이름하기도 하고 혹자는 삶의 지혜를 찾는 구도의 길이라 하기도 하여 자기계발서의 단골 주제가 되고 있다.

한때 내가 코칭을 맡았던 고등학생 하나는 부모가 영국의 고등학교에 유학을 시키는 중이었는데, 자기계발서로부터 효과적으로 공부하는 방법을 찾을 수 있을 것이라는 입증되지 않은 기대 때문에 이를 남독濫讀 하고 있었다. 읽은 자기계발서가 이미 백 권이 넘었을 것이라고 열 적은 웃음을 흘리면서도, 영국에서 공부하다 이런저런 일에 막히면 혹 그런 것을 뚫어주는 기발한 방법은 없는가 하여 인터넷에서 신간 자기계발서의 서평을 뒤적이느라고 아까운 공부 시간을 낭비한다 자탄自嘆하니, 일종의 자기기만의 방법으로 자기계발서 읽기를 선택한, 이를 테면 중증重症의 계발서 중독인 셈이었다.

행복이 무엇인지 체험해 본 적은 없다면서도 "그야 마음 비우기 아닌가요?" 하고 애 어른 같은 무감동한 표현을 사지선다형 문제집 정답 난처럼 거침없이 준비해놓고 있었다.

그 고딩의 문제야 그렇다 치고, 내일 모레 칠십을 바라보는 내가 새삼스럽게 깨닫는 행복이란 과연 어디 있는 것일까? 결국은 오십 보 백 보인 것이, 눈 앞에 현전現前하는 일상의 행복에 외면하고 애써 다른 곳에서 정답을 찾고 있었기 때문이다.

게으르기를 즐겨 하나 친구는 사양키 어려워
궁한 줄을 알지마는 어찌 통하기를 바랄 손가
가난하지만 찌든 삶은 살지 않았고
병들어 마음 기른 공을 깨닫는다

호나난사우 好懶難辭友

지궁기념통知窮豈念通
빈비이생졸貧非理生拙
병각양심공病覺養心功

작은 밭은 손님 머물게 할만 하고
푸른 하늘은 나르는 기러기를 싫증 내지 않네
가을 배 돛 올려 가씨 노인 방문 길
술 싣고 강동을 지난다.

소묘능류객小苗能留客
청명불염홍靑冥不厭鴻
추범심가노秋帆尋賀老
재주과강동載酒過江東

　중국 송宋 나라 때의 미원장미불·米市 선생 초계시苕溪詩 중 마음에 드는 두 연聯을 거두절미하여 옮긴 것이다. 그럴듯하게 포장한 것만 다를 뿐, 행복을 남의 글에서 찾는 것은 매한가지 아닌가 하는 스스로의 반성이 마음 속에서 머리를 든다.

　'게으른 천재여 안녕' 이라고 제목을 써놓고 코칭과 관련된 이야기를 조금 하려던 것인데, 게으름을 설명하려다 사설이 그만 길어졌다.

꼭 게으름과 한가로움이 행복이라고 강변하지는 않겠지만, 코칭이 추구하는 잠재력과 창의력은 창조적 긴장과 이완이 반복되는 리드미컬한 나선형 상승곡선 위에서 행복이라는 모습으로 나타난다고 생각한다.

코치는 경청과 질문을 마중물 삼아 고객의 패러다임을 바꾸고, 시각을 다각화 하여 창의력을 발현케 함으로써, 고객 내면세계 비밀한 곳에 감추어져 있던 천재성을 드러내게 만드는 능동적 역할도 하지만, 이와 같은 과정을 통하여 어렵사리 발현된 천재성을 제대로 챙기어 결과로 만들어 갖지 못하고, 흐지부지 낭비하는 일을 예방하는 파수꾼 역할도 자처한다.

한 마디로 고객으로 하여금 책무를 선택하게 도와주는 일인데, 언젠가의 칼럼에 인용하였던 예를 다시 들어보겠다.

어느 날의 코칭 장면에서, 그날의 코칭 결과로서 고객이 천재성의 좋은 아이디어를 내어 실천에 옮기겠다고 결심하였다고 가상해 보자.

"그 일을 언제 실천하시겠습니까?"
"실천을 위하여 누구의, 어떤 도움이 필요합니까?"
"코치인 내가 돕는다면 무엇을 도우면 되겠습니까?"
"코치인 내가 그 사실(실천이 개시되었다는)을 어떻게 알 수 있을까요?"

등의 질문에 답을 받아두는 것이 그것이다.

필자가 SK 아카데미 시절 강의한 '최종현 사장학'에서는 이것을 경영자의 역할로 보아 Lead, Help, CheckL/H/C라고 표현하고 있다.

구성원을 임파워Empower하여 적극적 두뇌활용이 가능하도록 창의적 자유공간을 마련해 주는 것이 '믿고 맡기기Empowerment' 리더십의 기본 출발점이다. 그러나 무조건 맡기기만 하는 경우, 높은 창의력을 이끌어 낼 수 있다는 장점은 있으나 게으른 천재를 만들어 낼 가능성도 따라서 높아진다. 그러므로, 효과적인 업무의 위양委讓, Delegation과 성취를 위하여는 L/H/C 특히 자발적 책무의 선택을 종용하는 일과 이를 확인하는 Check 과정 역시 중요하다는 것을 강조하였던 것으로, 코칭 리더십의 책무부여 원칙과도 잘 부합한다 하겠다.

눈물 많던 청소년 시절 읽었던 프랑소와즈 사강 저著《슬픔이여 안녕》이라는 제목의 책을 여러분은 기억할 것이다. 여기에서의 '안녕'이 '이제는 슬픔이여 그만 헤어지자', 잘 가라는 뜻의 '안녕'인 줄 지레 짐작하였었는데, 어느 날 불문학 전공의 아내가 이 소리를 듣고 배꼽을 잡는다. 원어 제목으로 듣고 보니 '봉쥴 트리스떼스' 즉 '안녕! 슬픔(오늘도 또 만났네)'이라는 뜻의 만남의 인사 '안녕'이었다는 것이다.

'게으른 천재여, 안녕'

코칭 주제인 이 글 제목으로 빌어온 '안녕'은 어떤 뜻의 '안녕'이었을지 코치 지망생을 포함하여 독자 제현이 한번씩 챙겨주시기 바란다.

코칭의 목표는
고객의 완전한 홀로서기

고객 떠나 보내기

고백하건대, 필자에게는 헤어지기 싫은 고객이 몇 명 있었다.

코칭을 통하여 자신이 얻어야 할 것을 분명히 챙길 뿐 아니라, 코치에 대한 배려도 뛰어나서, 내가 당신이라는 코치를 만난 것이 대단한 행운이라는 듯한 미소까지 때로 잊지 않고 던져주니, 어느 코치가 이런 고객을 싫다고 하겠는가? 그 뿐인가, 이런 CEO 고객들은 그 HR 부서에서 자신들의 대표이사 위상을 고려하여 그에 걸 맞는 코칭 대가를 알아서 지급하므로 그 수입을 챙기는 재미도 쏠쏠하였던 것이 사실이다.

그러나 때가 오면, 단연 코치는 바로 지금이 고객과 이별하여야 하는 시기라는 것을 안다. 아무리 달콤한 다른 유혹이 있더라도, 고객

151

이 코칭에 지속적으로 의존하게 만드는 것은 좋은 코칭이 아니라는 관점에서 고객을 떠나 보내는 전문용어로는 Separation 시기를 설정하여야 한다는 말이다.

초식동물은 어미 태에서 빠져 나와 홀로서기를 하는 기간이 대체로 빠르지만, 사자와 같은 포식捕食동물은 거의 2~3년 지나 성수成獸가 되어서야 홀로서기를 한다고 한다. 인간의 경우는 어떤가? 조선조 시대에는 사내아이에게 호패號牌를 채우는 시기를 만 16세로 정하였다는데, 요즘은 성인식을 20세에 한다고 한다. 부질 없는 짓이기는 하지만 나도 큰손자 성인식에 따서 마실 욕심으로, 20년은 숙성되어야 피크타임이 된다는 비싼 포도주 몇 병을, 녀석 태어난 해인 2001년 빈티지vintage로 골라서, 와인 냉장고 맨 아래 칸에 애지중지 보관하고 있다.

강남에서 자란 일부 아이들은 유치원부터 시작되는 과외, 대학 가는 일, 장가 가는 일은 말할 것도 없고 심지어 이혼 하는 일까지 모두 엄마가 써준 각본을 따른다고 하니 홀로서기는 날이 갈수록 늦어지는 대세가 아닌가 걱정된다.

얼마 전 신문에 떠들썩 하던 KAIST 학생들의 연이은 자살 사태도 학사 행정보다는 이런 세태에서 근본적인 문제를 찾아야 할 것이 아니냐는 의견들도 있어서, 내가 참여하고 있는 코치포럼 중 하나에서는 KAIST를 포함한 대학생 코칭, 학부모 코칭을 진지하게 논의

하고 일부 실천하고 있는 중이다. 이러한 코칭의 주제는 물론 고객인 학생들의 당면 문제를 고객인 학생이 제의하는 형태로 다루게 되겠지만, 결국은 홀로서기에 초점이 맞추어진다고 보아도 좋지 않을까 생각된다.

기업코칭에서처럼 10회, 12회 등 기업의 임직원 코칭 회수를 정해

놓고 하는 것도 좋은 방법인데, 이 경우는 그 기간 동안에 고객의 홀로서기를 목표로 하여 셀프코칭을 체화體化하는 과정을 코칭 말미에 갖게 된다. 그런데 이렇게 설계된 체화과정에서 때로는 기업코칭이 라이프코칭으로 전환하는 예를 만나게 된다.

코칭을 시작하여 7~8회 리더십, 코칭적 소통의 마음가짐과 기술적 문제, 기업 내에서 이루고자 하는 자신의 미래상 등을 다루고 나면 고객과 코치 사이의 신뢰와 연결도 두터워져서 쉽게 아래와 같은 대화가 시작된다.

"김 상무, 궁극적 목표가 CTOChief Technology Officer: 기술 담당 최고 책임자인 줄은 알겠는데, 그 다음은 뭐지요?"

"그만큼 성취했으면 퇴역해서 쉬어야겠지요. 정원이나 가꾸면서…"

"퇴역이라는 말이 김 상무에게는 무슨 의미인가요?"

"퇴역 후 정원 가꾸기와 지금 이루고자 하는 연구개발에서의 성취 사이에 일관된 연관을 찾아본다면?"

"그때의 궁극적 목표는 무엇이 되리라고 생각합니까?"

"그러한 생활은 당신과 또 누구에게 기쁨이 됩니까?"

"그때가 봉사하는 삶으로서 행복하려면 지금부터 준비해야 두어야 할 것은 무엇이어야 할까요?"

"지금 아니면 준비할 수 없는 것은 무엇인지요?"

여러분도 금방 눈치 채었겠지만, 이렇게 진행되는 코칭은 또 언제 끝날지 모르는 새로운 방향으로 얼마든지 발전할 수 있으며 실제 그렇게 해서 기업코칭이 개인의 라이프 코칭으로 연결되었다고 코칭의 성과를 자랑하는 코치의 예도 적지 않다.

그러나 이때가 아쉽지만 떠날 때이다. 어떤 성찰질문들은 마치 와인 셀라 밑 칸에서 먼지 뒤집어 쓰며 오래 숙성하는 손자의 성년식 포도주 같아서 이들을 고객 가슴에 심어 놓는 것만으로 이미 고객의 홀로서기는 시작 가능한 것을 믿기 때문이다. 이렇게 떠나 보낸 고객들이 친구가 되어 잊혀질만 하면 보내오는 소식을 듣는 것도 또한 각별한 기쁨이다.

"뜻이 없다면 누가 분별하느냐?"
"분별하는 것도 뜻이 아닙니다."
그러자 육조 스님이 선상禪床에서 내려와 영가 스님의 등을 어루만지며 말했다.
"장하다. 옳은 말이다. 손에 방패와 칼을 들었구나. 하룻밤만 쉬어 가거라."

천태에서 입문한 영가 스님이 조계를 찾아와 육조 스님을 만나는 장면이다.

155

이렇게 조계산에서 하룻밤을 자고 간 영가 스님을 일숙각一宿覺이라고 부른다. 그가 이튿날 육조 스님에게 하직을 고하고 열 걸음쯤 걸어가다가 석장錫杖을 세 번 내려치고 말했다.

"조계를 한 차례 만난 뒤로는 나生고 죽음死과 상관 없음을 분명히 알았노라."

하룻밤 묵어가는 헤어짐이 이렇게 되면 홀로서기의 극의極意가 된다.

자신을 먼저 관찰하고
자타에 대해 열려있는 사람

안성두 서울대 철학과 교수

공부를 하다보면 아무래도 자신이 읽고 듣고 생각한 것에 치우치게 된다. 그래서 자신의 생각과 경험만이 올바르며, 다른 것은 그렇지 못하다는 생각을 은연중에 하기도 한다.

우리는 학문이 자신을 자유롭게 해 주는 것이 아니라 오히려 '감옥'에 가두는 독단적인 모습을 종종 만날 수 있다. 학문을 자신의 내면 수양이 아닌 도구적 목적을 위한 것으로 간주하는 오늘날 그 위험은 더욱 클 것이다.

어떤 점에서 우리는 동양학, 특히 불교학을 공부하는 사람에게서 그의 삶과 인식이 통일되어 있음을 당연한 것으로 생각하지만, 불교학자의 경우에도 이러한 독단적인 태도는 은연 중에 드러나 있다고 보인다. 아니, 스스로를 반성해 보면 인정하지 않을 수 없다. 이런 상황에서 공부를 통해 우리의 마음이 진정으로 타인과 세계에 대해 열리는, 그런 위기지학爲己之學의 자세가 점점 그리워지는 것이다.

이 책은 저자가 자신의 인생역정 중에서 생각하고 경험한 것을, 코칭이라는 요즘 알려지기 시작한 특수한 기법에 엮어, 단문의 이야기 형식으로 구성한 것이다. 저자는 '검단의 어리석은 나귀검려 · 黔驢' 이야기를 빌어 자신의 글을 겸양하고 있다.

사실 이 책은 하나의 지식이 단지 도구로 머무는 것이 아니라 상대의 마음을 열게 하는 지혜로 발전할 수 있는지를 실천적으로 보여준다는 점에서 매우 시사점이 많은 '위기지학' 매뉴얼이라고 생각된다. 타인으로 하여금 스스로를 관찰하도록 질문하고 이를 통해 자신의 잠재력을 이끌어 내는 기술은 분명 자신을 먼저 관찰하고 자타에 대해 열려있는 사람이 아니면 하기 어려운 '기술'일 것이다.

맹자가 말하듯 스스로 굽은 사람이 남을 바로 세울 수 없는 것이라면, 먼저 자신에게 열려 있는 사람만이 타인을 향해 그렇게 서 있을 수 있다. 그렇게 본다면 코칭은 에리히 프롬의《사랑의 기술》처럼 타인을 실질적으로 도와줄 수 있는 유용한 '기법'일 뿐 아니라, 그 근저에 상대를 향한 연민이 깔려 있어야 비로소 성공적으로 작동할 것이다. 이런 점에서 우리는 이를 현대사회에서의 '보살행'을 위한 일종의 '포교방편'이라고 불러도 좋을 것이다.

부처님 가르침이 코칭이라는
새 옷을 입고 나오다

❖ 보관 스님 남춘천 자비정사 ❖

《잡비유경》에 다음과 같은 이야기가 있다.

부처님 당시 키사고타미라는 한 여인이 외아들을 잃고 상심하여 실성한 듯이 거리를 헤매었다. 사람들은 그 여인을 부처님께 안내했다.

"부처님, 내 아들을 살릴 수 있는 약을 만들어주세요."

부처님은 키사고타미에게 "아래 마을에 가서 지금까지 사람이 죽어나간 적이 없는 집을 찾아 겨자씨를 얻어 오면 아들을 살려 주겠다"고 했다.

그러나 키사고타미는 해가 지고 어둑어둑해질 때까지 결국 겨자씨를 얻지 못했다. 겨자씨가 없었던 것이 아니라 사람이 죽어나간 적이 없는 집이 단 한 집도 없었기 때문이다. 부처님은 자비로운 음성으로 이렇게 말하였다.

"당신은 혼자만 아이를 잃었다고 생각했소. 하지만 살아 있는 모든 생물은 영원히 살지 못한다는 것이 죽음의 법칙이오."

키사고타미는 인생무상을 깨닫고 출가하였다. 그녀는 낡고 해진 옷을 입고 다녔으므로 조의제일粗衣第一로 불렸다.

이 이야기 속의 부처님은 가장 위대한 코치이다. '불교와 코칭', 이 둘은 서로 생소한 것 같지만, 부처님의 팔만사천 가르침 그 자체가 코칭이다. 그렇다면 부처님의 가르침이면 되지 왜 굳이 코칭이어야 하는가?

경전의 비유에서 키사고타미라는 여인을 움직인 것은 바로 현실에 대한 분명한 인식이었다. 인간은 스스로의 몸과 마음으로 인식하지 않으면 변화하지 않는다. 즉 행동할 수 있게 만드는 시스템이 코칭이라고 할 수 있다.

부처님은 처음부터 외아들을 잃은 여인에게 인생무상에 대해 법문을 주실 수도 있었다, 그러나 문제를 던짐으로써 직접 여인 스스로 그 답을 찾도록 이끌어 주셨다. 코칭은 고객이 스스로 자기 안에서 답을 찾도록 돕는다.

현대불교신문에 실렸던 '불교와 코칭'이란 칼럼 글이 이제 새 옷을 입고 세상에 태어나려고 한다. 불교 경전뿐만 아니라 선어록과 동서양의 고전 전반을 아우르면서 코칭의 진정한 가치와 정수를 쉽고 유려한 문장으로 풀어낸 책이다.

코칭이 생소한 불자들에게는 무엇이 코칭인지를 알게 해주고, 불교에 서툰 코칭 전문가에게는 성현의 가르침과 코칭이 어떻게 연결되어 있는지를 인지하게 해주는 친절한 교과서와 같은 책이다.

정천 거사의 이 책은 2500여 년 전의 부처님의 가르침이 코칭이라는 옷을 입고 오늘의 세상을 향해 다가갈 수 있도록 일주문과 같은 역할을 한다. 진리를 밖에서 찾는 것이 아니라 자신 안에 있는 지혜의 샘에서 길어내는 법을 알려 준다.

인생의 모든 답은 누군가가 줄 수 있는 것이 아니다. 모든 인간은 스스로 그 답을 갖고 있기에 그것을 찾고 그 답을 따라 걸어가는 것이다. 우리는 이미 부처이지만 아직 중생이다. 완성을 향해 나아가는 여정에서 코칭은 좋은 동반자이다.

이 책에서 저자는 궁극에는 '코칭'이라는 말도 버려야 한다고 천명한다. 가장 불교적이면서도 가장 코칭적인 선언이다. 불교도 코칭도 넘어서는 '그 무엇'을 향해 나아갈 때 인간은 완성의 길로 가는 궤도에 올라서게 되는 것이다.

161

잠자는 사자를
깨워라

내면의 잠재력 퍼올리는
코칭, 그 마중물의 힘

| 제3장 |

스스로 자기기만의 상자 밖으로 나와야

희미한 옛사랑의 그림자

지난 주말에는 아내와 함께 안성 난실리를 다녀왔다.

교외에 나가 깊어가는 가을의 정취를 맛보자는 뜻도 있었지만, 난실리에 위치한 '조병화 문학관'에서 개최하는 친구 김광규 시인의 시 낭송회가 있다 하기에, 오랜만에 친구의 얼굴도 보고 그의 부드럽고 가라앉은 목소리로 들려주는 자작시 낭송도 듣고 싶었기 때문이다. 김 시인과 나는 중고등학교 시절 조병화 선생께 함께 국어 작문을 배운 동기동창이자 누하동, 적선동을 오가며 어린 시절을 지낸 오랜 친구다.

뜻밖의 곳에서 예상치 않은 친구를 만나 그도 반가웠던지, "별 데를 다 다니네." 하며 씨익 웃어 보였다.

모두 여섯 편의 자작시를 낭송하고 낭송회는 끝났는데, 그냥 헤어
지기가 아쉬워 기어코 그를 우리 집으로까지 납치하여 와인 잔을 몇
순배 기울이고야 배웅했다.

그날 낭송한 그의 시 중 마음에 남는 '희미한 옛사랑의 그림자'에
서 인용한다.

4.19가 나던 해 세밑
우리는 오후 다섯 시에 만나
반갑게 악수를 나누고
불도 없이 차가운 방에 앉아
입김 뿜으며
열띤 토론을 벌였다
(중략)

그로부터 18년 오랜만에
우리는 모두 무엇인가 되어
혁명이 두려운 기성세대가 되어
넥타이를 매고 다시 모였다
(중략)

오랜 방황 끝에 되돌아온 곳

우리의 옛사랑이 피 흘린 곳에
낯선 건물들 수상하게 들어섰고
플라타너스 가로수들은 여전히 제자리에 서서
아직도 남아 있는 몇 개의 마른 잎 흔들며
우리의 고개를 떨구게 했다
부끄럽지 않은가
부끄럽지 않은가
바람의 속삭임 귓전으로 흘리며
우리는 짐짓 중년기의 건강을 이야기했고
또 한 발짝 깊숙이 늪으로 발을 옮겼다.

자기기만Self-deception의 상자 속에 숨어, '희미한 옛사랑의 그림자' 에 잠시 연민하는 서글픔을 연출하다가, 삶의 늪으로 되돌아가는 '혁명이 두려운 우리들' 을 보라.

미국 아빈저 연구소라는 곳에서 출간한《리더십과 자기기만》이라는 책에 의하면 사람들은 자기 내면에서 울려 나오는 소리를 외면하는 자기배반Self-betrayal의 순간 자기기만의 상자Box 속으로 들어간다. 그 상자 속에서 사람들은 자신을 정당화하는 논리를 만들 뿐 아니라, 남과 주위 여건을 비난하는 논리까지 만들어 점점 더 깊이 숨어버린다는 것이다.

상자 속에서는 다음과 같은 노력이 소용 없게 되어버린다. 스스로의 행동을 변화시키려는 일, 남을 변화시키려는 일, 새로운 기술이나 해법을 활용하는 일, 진정한 커뮤니케이션을 추구하는 일, 상황을 놓아두고 선선히 물러나는 일 등이 불가능해진다.

코칭은 고객을 상자 속에서 나오게 작용하는 일이므로, 코치 자신은 의당 스스로 상자 밖에 나와 있지 않으면 안 된다. 상자 밖으로 나오기 위해서는 어떻게 하는가?

당연한 말이지만 먼저 자신이 상자 속에 있다는 것을 알아야 한다. 어떤 상황에 대하여 조금이라도 남을 비난하고 스스로를 정당화하려는 징조들이 자신에게서 발견된다면, 자기가 이미 상자 속에 들어와 있다는 것을 알아차려야 한다. 그 다음 단계는 상자 밖 장소를 찾는 일이다. 상자 밖에 있는 어떤 관계 또는 기억, 예를 들어, 자신의 마음이 풍요로웠던 상태, 왜곡되지 않았던 상태 등을 찾아내고, 그 상태에 머물면서 주어진 상황을 상자 밖 관점에서 새롭게 바라보는 것이다. 이른 바 관점의 전환Perspective Change이다. 관점의 전환이 이루어지면 이 순간 무엇을 해야 할 것인가를 알려주는 내면의 소리를 듣게 된다. 이를 망설임 없이 실행하는 것이 해결책이다. 실행하지 못하게 되면 다시 자기배반·자기기만의 무기력한 사이클로 되돌아가게 된다.

어느 워크숍이든 시작할 때면 늘 참가자들에게 우스개소리 삼아

하는 말이지만, 성인 교육의 문제점은 그 교육이 거의 모두 반납교육
이라는 점이다. 워크숍 중에 받은 감동, 스스로 얻은 교훈, 결심, 행동
계획 등 모든 것을 이름표와 함께 교육장에 반납하고 돌아간다는 뜻
이다. 이 점에 유의하여 코칭의 현장에서는 매 세션의 마무리 부분에
책무Accountability 부여라는 과정을 수행한다. 책무부여라고는 하지
만 코치가 책무를 부여하는 것이 아니라 고객이 스스로 자신의 책무
를 선택하고 실행하도록 돕는 일이다.

"오늘 느낀 것을 바탕으로 하여 당장 시작할 수 있는 일은
무엇입니까?"
"그 일들을 언제까지 시행하시겠습니까?"
"그것을 시행하였다는 것을 코치인 내가 어떻게 알 수 있을까요?"
등의 질문에 답을 받아 두는 것이다.

고객의 책무는 코치가 챙긴다지만, 코치 스스로의 책무는 어쩔 것
인가? 마음이 만든 자기기만의 상자를 벗어내는 일, 늘 청정한 자리
에 서서 내면의 소리를 들어 준행遵行하는 일은 스스로 원願을 세워
부여 받은 코치 자신만의 책무이다.

부끄럽지 않은 삶을
살았는가?

무주상(無住相)으로 살기

벌써 여러 해 전의 일이다. 아침 명상을 끝내고 아내가 간단한 아침 요기를 준비하는 동안의 짧은 시간이 그냥 허비하기에는 너무 소중해 보이기에 책 한 단락씩을 읽어보려고 시작했었다. 잭 컨필드라는 미국의 명상가가 지은 《마음에서 이어지는 길A Path with Heart》이라는 제목의 좋은 책이었다.

《성공하는 리더의 일곱 가지 습관》이라는 리더십 과정에서는 사명서 작성 시간에 모의 명상을 하는 시간을 갖는 경우가 있다.
과정진행을 하는 코치의 유도에 따라, 눈을 감고 심호흡을 하면서 누군가 가까운 지인이 돌아갔다 하여 그 장례식에 참석하는 장면을 머릿속에 그려본다. 여러 친지, 동료, 가족들과 고인의 덕담을 나누고 차례를 기다려 관을 들여다보니, 이게 웬일? 거기 누워있는 자신의 모습을 발견한다는 것이 그 줄거리이다.

여러 사람들로부터 방금 들은 고인에 대한 찬사, 애도, 사랑, 그리움, 당신은 이것들을 부끄럼 없이 받을 자격이 있는가? 남의 이야기는 그렇다 치더라도 당신 자신은 과연 돌아다보아 부끄럽지 않은 '성취한 삶Fulfilled Life' 을 살았는가?

이런 모의 체험으로부터 삶의 여러 역할에 대한 자신의 좌표와 목표를 찾는 작업이 그 의도하는 바이다.

어느 날 아침 읽은 책의 단락에서 잭 컨필드는 쉽고 그러나 더 준엄한 명상 제목을 제시하였던 것이 기억난다. 자신이 이제 생을 마감하는 순간에 도달했다고 가상하라는 것이다. 그 명상 속에서 이제까지 지내온 일생을 펼쳐놓고 자신이 한 행위 중에 '두 가지 선행' 을 마음속에서 꺼내어 보라고 했다.

결론부터 이야기하자면 내 경우는 쉽지 않았다. 이력서에 써지는 굵직굵직한 일들은 일단 첫 번째 자격 심사에서 탈락되고 만다. 부끄러워하는 마음 사이로 어렵게, 두 가지 아주 사소한 일들이 떠올랐다. 그 작은 일들의 속성이 바로 '마음과 이어져 있는 일' 이었음을 알았다. 무주상無住相: 형상이나 개념, 고정관념에 집착하지 않는 것이 무엇인지 가르쳐주는 친절하지만 아주 준열한 방법이다.

그러고 보니 '무주상'이라는 제목으로 쓴 글이 한 편 있었다. 80년
대 후반 물불 모르고 일에 몰입할 때의 일이었는데, 애써 이루어 놓
은 프로젝트의 성과를 남이 알아주지 않자 어린 소견에 앙앙불락 하
다가, 어렵사리 얻은 어렴풋한 깨달음에 대해 걸맞지 않게 큰 제목을
붙여 쓴 글이었다. 아래에 거두절미하여 인용해 본다.

전략(前略)

우리 아이들은 나더러 울보란다. 영화나 드라마를 보고 우는 것도
어른으로서는 창피한 일인데 TV 뉴스를 보다가도, 심지어는 만화
를 보다가도 눈물을 글썽인다는 것이다. 그러나 60년대 육군 졸병
생활을 하면서도 그 무서운 빳다를 맞고는 울지 않았다는 것이 내 항
변이다. 아내는 나더러 당신이 무슨 엔지니어냐고 한다. 허기야 두꺼
비집은 신방과 나온 우리 큰 딸이 고치고, 전기 다리미는 러시아어
전공의 막내 딸이 고친다. 이놈들이 다 시집가고 나면 할 수 없지. 아
마도 불문과 나온 우리 할멈이 고쳐줘야 할 것이다.

'방향족시설 프로젝트'는 엔지니어로서 나를 두 번 울게 한 프로
젝트였다. 회사의 성장을 이루려는 우리들의 야심찬 사업계획이 미
국의 합작선 걸프Gulf의 현상유지전략 때문에 연례행사처럼 반려되
어 오던 유공의 합작경영시절, 빤히 반려될 계획을 오뚝이처럼 매년
되 제출하던 우리들도 오기덩어리였다. 회사의 경영주체가 바뀌고
이 사업이 이사회에서 새 회사의 첫 사업으로 승인되던 1981년의 어

느 날, 사업타당성 보고를 마치고 그 자리에 배석했던 나는 붉어지는 눈시울을 감추려고 하지도 않았었다. 첫 번째 눈물. 성취감 속의 기쁨의 눈물이었다. 시설의 개념설계, 기술선 선정, 투자지출규모 확정 등이 끝나자 일은 프로젝트 집행 부서로 옮겨지고 나를 위시하여 사업계획을 추진하던 추진팀은 흩어져 각기 평상의 업무로 돌아갔다.

세월은 흘러서 1985년 초 공장이 준공되자 성대한 준공식이 열리고, 인물 좋은 돼지를 골라 고사도 지내게 되었다. 높으신 어른들이 모두 돼지머리에 절하고 마침내 공식 고사행사가 끝난 뒤, 나는 행사에 초대받지도 표창 받지도 못한 옛 추진팀을 모아 쓸쓸한 번외番外 고사를 지냈었다. 이번에는 눈물을 겉으로 비치지는 않았었다. 다소 공허하게 웃었던 것 같으나 실은 눈물이었다고 할밖에. 젊었으므로 이 날의 마음 속 분만을 삭이기에는 다소의 시간이 필요하였다.

그러나 결론부터 이야기 한다면 이 해프닝은 내게 큰 마음 공부가 되었다.

우화 한 토막. 어느 눈 온 날 새벽등산을 마치고 내려오다가 미끄러운 산길을 오르는 등산객을 마주치게 된다.

"안녕하세요?"

인사했지. 그러나 발밑이 바쁜 상대방은 답례가 없다. 괘씸한 마음이 일어난다.

'아침부터 남의 인사를 떼어먹다니.'

그러나 다음 순간 나는 길옆의 소나무를 보고 절했다.

한번, 두 번 "안녕하세요, 안녕하세요."

이번엔 답례가 없어도 괘씸하지 않다.

일과 나, 그 관계의 발견이다.

후략後略.

'이재 배송도怡齋 拜松圖' 라는 화제畫題가 써진, 낙관도 표구도 하지 않은 두루마리 그림을 펼쳐 보며 다소 추억에 젖어 이 글을 쓴다. 이재怡齋는 서예선생 현천玄川이 지어준 내 호號이고, 그림 역시 그가 내 이야기를 듣고 장난기 섞어 그려준 소나무 그림이다.

'창의력'
상상력과 패러다임
전환의 산물

창의력과 기업코칭

23세기쯤 되어서, 인체 각 부분을 마음대로 교체할 수 있게끔 과학이 발달하였다. 당연히 뇌腦도 마음대로 골라 바꾸어 넣을 수 있게 되었는데, 어느 고객이 뇌 가게Brain Shop에 들러 주머니 사정에 적당한 뇌를 고르고 있는 중이었다. 진열장을 보니 단돈 $5,000의 싸구려 뇌부터 수만 불, 수십만 불 단위의 뇌까지 아주 다양하다. 익숙한 이름이 있어 가격표를 보니 '아인슈타인 $50,000' 이렇게 적혀 있다.

'이걸 사야겠군?' 하고 일단 마음은 정했지만 도대체 더 비싼 뇌는 누구의 것인가 궁금해서 옆 진열장을 기웃거려 보았다. 제일 비싼 뇌는 포장도 아주 호화롭게 되어있고 가격이 $300,000이나 된다는데 아무래도 거기 적혀진 이름이 낯선 이름이다. 마침 가게 점원이 지나가기에 넌지시 물어보았다.

"저건 도대체 누구의 뇌인데 저렇게 비싸지요?"

점원이 말했다.

"아, 이거요? 이건 20세기 한국 정치인 모 장군의 뇌인데요. 한 번도 사용한 적이 없는 신품이거든요."

군사정권 시대에 유행하던 블랙 유머다. 몇 년 전까지만 해도 장군 명칭만 떼어버리면 문민 정치인 범용으로 쓸 만 하다는 생각이 들었는데, 최근 들어 책략이 나쁜 방향으로는 아주 뛰어난 정치인을 여럿 겪은 뒤라 이 유머는 그만 용도폐기 되어 버렸다. 그렇지만 생각해 보시라. 선물용이 아니라 고객 누구나가 자신의 뇌를 갈아 끼우기 위해 새 뇌를 산다면, 뇌 상점에서 인기 있는 뇌는 책략가의 뇌일까, 시인의 뇌일까, 아니면 과학자·철학자의 뇌일까? 내 개인적 소망은 상상력과 창의력이 풍부한 시인의 뇌를 고르겠다는 원매자가 많았으면 좋겠다는 것이다.

교세라를 세계100대 기업으로 일궈낸 뒤 탁발승으로 돌아간 이나모리 회장이 《카르마경영》이라는 저술에서 주창한 바도 있었지만, 더 가깝게는 SK의 '최종현 사장학'에서는 기업의 이윤추구에 도道가 필요하다고 설파하고 있는데, 이 '일도道'에서는 기업경영의 원칙과 함께 자발적, 의욕적 환경 하에서의 두뇌활용Brain Engagement이 강조된다. 두뇌활용이라는 용어는 과정Process에 주안점을 둔 표현일 뿐이고, 이 역시 목표하는 결과물은 창의력이다. 영구 존속을 목표로 오래가는 기업을 만들려면, 지속적으로 안정과 성장을 추구하려는 의제擬制된 인격체인 기업과, 길어야 30~40년 동안 공헌하다 결국은 떠나야 하는 구성원들 사이에 존재하는 시공간時空間 괴리를 메울 수 있도록, 공통으로 추구하는 가치가 있어야 승-승이 이루어질 수 있는데, 승-승을 이루는 가치는 나누어서 줄지 않는 '풍요로운 마음가짐Abundance Mentality'에 합당한 가치여야 한다. 나누면 줄어드는 돈, 명예 같은 가치는 기업경영을 승-패/패-승의 패러다임으로 이끌어 기업과 구성원 사이에서 지속 가능한 시너지를 추구하려는 노력을 궁극적으로는 와해하기 때문이다.

기업이 추구하는 궁극적 가치는 무엇일까? 전문코치들의 기업코칭 워크숍 과정에서 이런 질문이 다루어진 적이 있었는데, '이윤 추구'라는 경제 교과서의 정답보다 '사회적 공헌'이라는 대답이 압도적이어서 놀랍기도 하고 흥미롭기도 했던 적이 있었다.

전교조의 영향이라고 웃어넘기기에는 코치들의 태도가 너무 진지하였기에 가만 그 이유를 살펴보니 거기 모였던 전문코치들의 전력前歷이 그러 하였다. 학생운동을 통하여 사회를 정화하려는 데 뜻을 두었던 분들이 그 연장선상에서 코칭에 입문하여, 코칭을 통하여 사회와 그 구성원 개조를 지속하려는 목표에 뜻을 두고 있거나, 기업 출신이라고 해도 대부분HR 부서에 근무하던 분들이 구성원의 성취와 완성이라는 측면에 가중치를 두고 기업코칭을 바라보고 있었기 때문이다.

기업코칭은 기업의 경제적 존재이유인 이윤 추구를 원칙에 따라 충실히 추구하는 것을 제1의第一義로 삼고, 기업과 이를 실질적으로 운영하는 구성원, 나아가서는 기업의 이해관계자들이 함께 승—승할 수 있는 공통적 가치 추구에 초점을 맞추어야 하는데, 이 공통가 치를 '창의력에 의한 성공체험과 그 선순환'이라고 놓고 보면 문제의 해답이 보인다는 것이 이른 바 '일도道'의 착안점이었던 것이다.

개인 창의력은 상상력과 패러다임 전환의 산물이라는 점에서, 집단 창의력은 승—승과 공감적 의사소통을 추구하여 서로 다름을 축복 삼는 시너지의 현재화顯在化라는 점에서, 둘 다 기업코칭이 목표 삼고 있는 주된 본령이다.

기업경영은 냉철한 결정에 늘 직면해야 하는 비정한 일이므로, 상상력과 창의력을 갖춘 시인의 뇌를 사서 장착해서는 이에 걸맞지 않는다는 생각을 갖는 분이 만약 있다면, 기업을 사랑하고, 가슴에 품고 간 많은 성공한 기업인들이 어째서 "Burning Yes"를 주창하는 낙관주의자들이며 기본적으로 감성주의자들이었는가를 생각해 볼 일이다.

일 년에 한 번은
전에 가보지 못한 곳에
가보자

인도 기행

코칭 워크숍의 어느 과정에선가 달라이 라마의 새천년 법어法語를 접할 기회가 있었다. 19개 항목이 다 주옥같은 말씀이었지만, 한 말씀이 특히 기억에 남았다.

"일 년에 한 번은 전에 한 번도 가보지 않은 곳에 가보라."

금년에는 연간목표를 훨씬 초과 달성하여 5월에는 튀니지, 10월에는 중국의 장강 삼협長江 三峽 여행을 다녀왔고, 11월 말에는 8박9일 인도여행을 다녀왔다. 북인도 지역의 여섯 도시 델리-자이푸르-아그라-오차-카주라호-바라나시 등을 엮는 조금 벅찬 일정이었다.

튀니지 여행을 일컬어, 지중해 해변의 맑고 짙푸른 하늘과 바다, 사하라 사막의 희고 고운 모래 구릉, 작열하는 태양 아래 오렌지와 퍼플 색조를 내뿜는 신기루 같은 염호鹽湖, 황야를 달리는 '붉은 도마뱀 열차', 황무지의 일몰무대를 내려 덮는 짙은 보라색의 벨벳 커튼 같은 어둠, 그리고 별이 쏟아지는 오아시스의 천막야영 등을 보석 꿰듯 엮어 그린 정갈하고 아름다운 연작連作 수채화라 부른다면, 장강 삼협 여행은 하늘에 닿아 흐르는 물길, 자욱한 안개가 여백 되어 펼쳐진 비단 화폭 위에, 깎아지른 푸른 암벽과 수목, 그리고 옛 시인묵객의 시부詩賦 운율까지 담채淡彩로 그려 담은 여러 폭 동양화의 신운神韻 체험이었다고 할까?

인도 여행을 무어라 표현하면 좋을까? 믿을 수 없이 다양한 인도적印度的 삶이 7천년의 세월을 연면連綿히 흘러 오늘에 이르는 어김없는 현장을 눈으로가 아니라 마음의 울림으로 바라보며 얻는 찬탄과 탄식의 태피스트리 직조織造 같은 것. 섬세함과 거친 터치를 자유자재로, 호사로움과 암울한 채색을 부사의不思議하게 뒤섞어 그린 오래된 유화를, 덮인 먼지 후후 불어 내고 눈 비비며 보는, 다소 불편하기도 한 그런 감동.

아그라의 세계 7대 불가사의의 건축물, 대리석 묘묘墓廟 타지마할에 담긴 황제의 애비愛妃에 대한 애틋한 사랑 이야기. 그 섬세하고 호사스

179

러운 아름다움의 극치를 직접 두 손으로 쓰다듬어 몸에 담아두었다.

다음날, 카주라호에 이동하여 천 년 전 찬달라 왕조에 의하여 건설되었다는 사원군寺院群의 미투나 상像 조각에서 만난 자유분방하고 에로틱한 천녀天女들의 모습, 익살스럽고 창의적인 카마수트라 교합 상交合像. 성性의 희열을 열반으로 승화시키려 했던 당시 인도인들의 천연덕스러운 소망이 예술성의 바탕 위에 에로스의 모습으로 꽃 피워 응집된 것을 찬탄한다.

그러나 같은 날 오후 오래된 도시 바라나시로 이동하여, 자전거 인

력거인 릭샤를 타고 지근거리至近距離까지 접근하여 체험한 저자바 닥은 오전에 황홀했던 아름다움과는 전혀 다른 충격 그 자체였다. 매 연, 소음, 오물 냄새, 자전거, 오토바이, 삼륜차 택시, 그 사이를 경적 요란히 울리며 비집는 승용차들. 쏟아져 나온 행인, 혼잡을 집 삼고 유유자적 어슬렁거리는 주인 없는 소들과 버려진 개들의 무리, 비둘 기 떼는 또 얼마나 극성이었든지. 틈만 보이면 '원 달러One dollar'를 구걸하며 여행객의 옷깃을 잡는 끈질긴 걸인들도 거리의 당당한 주 역主役이었다. 이 속에 뒤엉켜서, 머리가 지끈거리는 혼잡을 강렬한 호기심으로 참아내면서 생각했다. 이 흐름의 밑바닥에 깔려 있는 질 서는 과연 무엇일까?

저자 바닥을 간신히 벗어나면 힌두교도들이 '어머니 강江'이라고 부르는 간지스강Ganga: 불경에 나오는 恒河의 서쪽 강둑에 이르게 된다. 다음 날 새벽 해 뜨기 전 이 강둑에 다시 와, 노 젓는 나루 배로 강을 오르내리며 마침내 앞의 의문에 대한 해답을 얻은 것 같았다.

강 동안東岸에서는 붉은 일출이 새벽을 장엄하고 있었다. 그것이 살아있는 이들이 맞는 새 아침이었다면, 서안西岸에 위치한 노천 화 장터Cremation Ghat에서 새벽 일찍 장작을 지핀 장례 두엇은 누군가 가 살고 간 삶의 마침이었다. 같은 시각, 인접한 목욕 터Bathing Ghat 에서는, 이들은 아랑곳 없이, 순례자들의 침례 의식과 신도들의 아침 목욕이 어머니 갠지스에 바치는 아침예배 음악과 함께 시작되는 그

181

런 일상이 펼쳐진다.

2,500여 년 전, 35세 고타마가 가졌던 깨달음의 순간에도 먼동은 네란자라 강 동쪽 둔덕에서 그렇게 떠올랐을 것이다. 사성제四聖諦: 네 가지 거룩한 진리*의 첫 가르침이 베풀어진 바라나시의 사르나트鹿野苑 유적지, 반쯤 무너진 스투파를 세 번 돌고, 예배처에 절하고 잠시 좌선하면서, 초전법륜初轉法輪에 참여한 복 있는 다섯 사문沙門을 머리에 떠올리고 미소 지었다.

삶도, 죽음도, 깨달음을 얻기까지의 기약 없는 여행의 일부일 뿐이다.

여행을 통하여 얻은 코치의 새삼스러운 자기 성찰이다.

그리고 보니 달라이 라마 새 천년 법어에 기억나는 말씀이 하나 더 있었다.

"원하는 것을 얻지 못한 것이 때때로 대단한 행운의 시작임을 기억하라."

* 사성제(四聖諦): 고(苦)·집(集)·멸(滅)·도(道)의 네 가지 거룩한 진리. 석가모니 붓다가 깨달음을 얻은 지 얼마 안 되어 인도 바라나시 근처의 녹야원에서 행한 최초의 설법 내용. 삶의 괴로움은 집착에서 비롯되고 이를 없애야 해탈에 이른다는 가르침이다.

모든 존재는
'관계'에 의지한다

코치들의 브런치 소묘(素描)

　몇몇 가까운 코치들이 모여서 하는 친목 겸 학술 모임이 있다. 금년 송년 모임으로는 모처럼 호사를 좀 해보자는 데 의기투합해서, 모 호텔 부페식당에서 아침 겸 점심식사Brunch를 들기로 하고 모였다.

　브런치 하면 생각나는 것이 미국 남부 재즈의 고향으로 알려진 뉴올린즈의 프렌치 쿼터에 있는 브레넌 식당의 유명한 아침식사이다. 이 프렌치 쿼터라는 거리는 기본적으로 청교도 나라인 미국의 다른 지역과는 차별화 하여, 취객이 만취가 되어도 흉이 되지 않는 거리라고 해서, 술꾼들의 천국이라고 불리는 곳이다. 모처럼의 해방구를 찾은 술꾼들이 전날 밤 과음의 업보인 쓰린 위장을 안고 찾는 식당이 브레넌 식당인데, 굴 요리와 게 요리 그리고 다채로운 달걀요리가 가

게의 자랑이었고, 아침식사임에도 불구하고 요리마다 추천 와인이
따른 메뉴를 제공하여 '과연' 하고 미소를 머금었던 일이 기억난다.

모임 날의 브런치는 부페였지만, 정갈하고 깔끔한 초밥, 이태리식
의 야채볶음과 조갯살 요리, 생굴과 올리브유에 데친 해산물 요리 등
을 아침부터 샴페인, 백포도주 등 음료와 곁들여 브레넌 식당 못지않
게 훌륭하게 즐길 수 있었다.

음식과 음료를 즐기다 보니 화제는 과식, 체중조절 특히 여성 코치
들의 왕성한 식욕과 몸매의 유지 비결 등으로 다양하게 전개되었다.
최근 다녀온 인도의 미투나Mithuna 조각상에서 발견되는 미인 척도
尺度나 옛 중국 당삼채唐三彩에 표현되는 미인 척도가 모두 요즘 기준
으로 보면 비만에 가까운 푸근한 몸매를 최고의 이상형으로 매김하
고 있음을 상기시키고, 다산多産의 풍성함을 예감하는 아름다움을
이야기하였으나 여성 코치들은 별로 감동(?) 받지 않은 것 같았다.

코치들이 예로 든 코칭 사례 중에는 의외로 영양과 건강, 다이어트
등에 관한 라이프 코칭이 많았는데, 다이어트로 시작된 코칭이 결국
은 "어떤 삶을 살 것인가?" 하는 본질적인 문제로 발전하여 해결책
을 찾게 되는 경우도 적지 않았다고 한다.

삶, 존재 등에 대한 창조론과 대비하여, 금세기 최고의 다윈론자로
불리는 리처드 도킨스의 많이 읽히는 최근 저서《지상 최대의 쇼》등

도 언급되었는데, 삶과 죽음에 대한 그의 표현이 재미있어 내가 소개하였다.

"우리는 죽음을 향해 가고 있다. 역설적이지만 이 말은 우리가 행운을 타고난 존재라는 말도 된다. 우리가 상정想定하는 대부분의 잠재적 존재들은 죽음을 경험하는 행운을 갖지 못한다. 그들은 태어난 적이 없기 때문이다. 오늘 여기 이 자리에 나를 대신하여 존재할 수도 있었으나 실제로는 결코 삶을 성취하지 못한 잠재적 존재들의 숫자는 아라비아 사막의 모래숫자보다 많다."

달리 표현하면 이렇게 여기 있는 개개인의 존재 확률이 과학적 잣대로 보아 기적奇蹟에 가깝다는 의미이겠는데, 이 낮은 개연성이 자아에 집착하는 사람들에게는 창조론의 빌미가 된다. 그러나 대혜 선사의 행장을 기록한 《서장書狀》을 참고하면, 아래와 같은 이참정의 게송出相頌으로 읊어지게 된다.

눈가죽으로 삼천 대천 세계를 덮고
콧구멍에 백억 화신을 가두네
개개가 장부이니 뉘라서 굴복할 것인가
청천백일에 사람을 속이지 말지라.

도킨스가 과학적 사실을 냉정하지만 다소 시니칼하게 서술하고 있음에 비추어, 이참정의 이 게송은 주객主客을 떠난 다른 차원의 어떤 의미를 보여준다.

"부처가 하신 말씀, 너희들 모두가 곧 이미 이룬 부처라는 말씀을 한 치 의혹 없이 굳게 믿은 것이니, 이로써 깨닫는 자리에 나아가 부처님의 은혜를 갚은 것이다."

《서장》을 공부하던 언젠가 어설픈 자작 해설을 잔글씨로 책갈피에 써두었던 기억이 난다.

어떤 코치는 삶과 죽음에 대하여, 창조론에도 일리가 있다 하겠으나 패자 부활전이 없는 것이 문제 아니겠느냐는 재미있는 의견을 피력하였다. 인과율因果律이란 과학이며, 어떤 경우에도 원인이 있으면 그 과보果報가 있어야 한다는 것인데, 창조론을 따르다 보면 죽음이 인과법칙의 이행을 거부하는 모순을 낳게 된다는 점에 그의 생각이 이르게 된 것이었다. 그래서 인과因果, cause and effect와 연기緣起, conditioned genesis의 과학 이야기가 잠시 더 이어지는 화제가 되었다. 이들에게 연기를 설명하기 위하여 내가 원용하였던 고려대학교 물리학과 양형진 교수의 글 '물리학을 통해 보는 불교의 중심사상' 중 연기와 상의성에 대한 내용을 요약하여 이 날 있었던 코치들의 송년회 소묘素描를 끝맺는다.

"연기론의 핵심 의미는 상호의존성, 줄여서 상의성인데, 이에 대한 유명한 비유가 《갈대경蘆經》에서의 세 개의 서로 의지하고 선 갈대 묶음에 대한 것이다. 물 분자가 물의 성질을 가질 수 있는 것은 하나의 산소 원자와 두 개의 수소 원자가 서로 의지하여야만 가능하다는 것과 같다."

물질계뿐 아니라 인간관계도 그러하다.

"나는 누구인가?" 라는 코칭 질문을 살펴보자. 결국 모든 존재는 다른 무언가와의 관계에 의하지 아니하고는 존재할 수 없다. 이것이 상의성이다.

코칭 역시 이 상의성의 세계에 주목한다.

뜻있는 금 하나
다시 그을 수 있기를

각주구검(刻舟求劍)

2003년, 새로 맡게 된 회사의 일로 연말 해외 출장을 다녀와서 새해를 맞을 때의 일이다. 습관화된 대로, 한 해를 돌아다본다고 책상 앞에 앉았다가 쓴웃음처럼 '각주구검刻舟求劍', 그 날의 글 제목이 떠올랐던 것이 선명하게 기억난다. 6년이라는 세월이 결코 짧은 기간은 아니어서, 그 동안에 나는 4년간의 징검다리 사장 노릇을 끝으로 경영직에서 은퇴하였고, 그 후 코칭공부에 전념하여 전문코치가 되었다. 이미 장가들였던 큰 아들에 딸 둘마저 시집보내 혼사를 다 끝내었으며, 2006년 친손자가 하나에서 둘로 불어났고, 2005년에 태어난 외손녀가 하나, 내달이면 외손자가 하나 또 태어날 차례다.

그럼에도 불구하고 오늘, 전에 썼던 글을 찾아 갑신년을 기축년으로, 을유년을 경인년으로 바꾸어 넣으니, 6년이 지난 지금에도 그 내용이 그럴듯하게 들어맞는다. 변한 것은 겉모양일 뿐, 마음공부에는 아직 큰 진전이 없었다는 부끄러운 말씀이다.

나룻배를 타고 강을 건너던 얼빠진 무사武士 하나가 졸다가 손에 들었던 자신의 검劍을 강물 속에 빠뜨렸다. 빠진 자리를 표시해 놓아 나중에 그 검을 찾을 욕심으로 주머니칼로 뱃전에 표시를 해놓았다는 중국의 고사故事를 일러 '각주구검'이라 한다.

기축년己丑年 지나니 경인년庚寅年 아니냐고, 흐르는 세월의 뱃전에 주머니칼로 금線 하나 그어놓고, 지난 한 해를 되돌아본답시고 책상머리에 앉은 내 꼴이 이 무사와 진배없다는 탄식이다.

불학佛學에 심心의 찰나刹那라는 말이 있다. 영어로는 Thought-moment라 한다는데, 본디 무상無常한 일체의 존재는 매 찰나마다 생주이멸生住異滅을 거듭한다는 뜻이니, 존재라 이름 하는 바 환幻의 끊김과 이어짐斷續을 설명한 것이다. 내가 오래 전에 읽은 영어 불교 입문서에는 "매 찰나 그대는 죽고 다시 태어난다Every moment you die and reborn"라고 직설적인 표현으로 쓰여져 있었다. 누군가의 해설을 빌리면 활동사진이 1초에 25장 화면Frame이 돌아감으로써 관객에게는 마치 연속하여 움직이는 것 같은 착각을 일으키게 하는 것과 마찬가지로, 존재의 단속이 중생에게는 연속하여 흐르는 것처럼 보이는 것도 이와 같은 착시 현상에 준한다는 것이다.

　단속斷續하는 환의 찰나, 그 화면 사이에 금을 긋는다면 아마도 그 금은 진공묘유眞空妙有의 진공일 것이니, 이로써 일순 온갖 환이 사라질 것이다. 금 긋기라면 뱃전에 어설픈 칼자국을 낼 것이 아니라 모름지기 이런 금 긋기를 해야 마땅할 것이다.

　손지우손損之又損: 덜어내고 또 덜어내자, 덜어내자損, 덜어내자 입으로는 6년을 별렀건만, 구두선口頭禪의 결과는 역시 별무신통이다.

　흐르는 것처럼 보이는 시간 위에 금 하나 긋고 돌아보면 저 금과 이 금 사이에서 아직도 두 가지 상념이 떠오르는 것이 보인다.

　구차스러운 안도安堵 몇 가지, 그리고 아직도 착着을 내려놓지 못해 생겨나는 여러 가지 석념惜念이다. 허구虛構로 만들어놓은 대차대조표에 일상이라는 이름으로 무의미한 덧셈과 뺄셈을 되풀이 하고 있다.

　나선螺旋 운동의 아름다움은 한 바퀴 휘돌아와서 자신이 떠난 자리를 내려다보는 데 있다고 한다.

　한 해를 더 살고 되돌아와 경인년과 신묘년辛卯年 사이에 다시 뜻 있는 금 하나 그을 수 있기를 희망한다. 아니 그것이 언제 오든, 마침내 삶과 죽음 그 '심心의 찰나thought-moment' 프레임 사이에 금 하나 그을 때, 오늘 떠난 이 자리를 넉넉한 마음으로 내려다 볼 수 있기를 희망한다.

각주구검刻舟求劍 표지 밑 거기, 시공時空의 강물 속에 제아무리 자맥질 한다 해도, 마침내 잃어버린 검을 되찾을 수 없음을 스스로 이룬 지혜로 깨달아야 하지 않겠는가?

바보란 '늘 같은 일을 반복하면서 다른 결과를 기대하는 사람' 이라는 아인슈타인의 정의定義를 코칭 워크숍 어느 곳에선가 인용하였던 기억이 난다.

간디는 사탕을 과도하게 먹는 버릇 때문에 병든 아이를 고쳐주기 위해, 먼저 2주씩이나 걸려 자신의 사탕 먹는 습관을 버리고 나서, 비로소 아이를 불러 가르침을 주었다던데….

부끄러운 마음으로 금 하나 그어 다시 시작하자.

주머니칼로 뱃전에 그은 얼빠진 표지標識가 되든, 보리菩提: 궁극의 깨달음를 찾아 떠나는 발심의 출발선Start Line이 되든 다 마음먹기 하나에 달린 것 아니겠는가?

성품 역량 갖춰져야
신뢰 얻을 수 있어

신뢰성

고교 동창끼리 모여 만든 불자 모임이 있는데, 그 모임의 인터넷 홈페이지를 하나 만들어 필자가 카페지기를 맡고 있다. 회원 수 서른도 안 되는 작은 카페이다. 한동안은 무비 스님이 쉽게 풀어준 해설서를 저본底本 삼아《신심명信心銘》을 매일 한 구절씩 '한 줄 메모장'에 연재하였는데, 호응이 좋았을 뿐 아니라, 옮겨 적는 내 공부도 쏠쏠하였다.

요즘은 현대불교신문에 연재된 '불교와 코칭' 글들을 퍼다 올렸더니, 꾸준히 읽어주는 비회원 방문객도 더러 오시기에, 방문객 서비스 삼아 부처님 리더십과 관련된 '한 줄 메모장' 연재를 다시 시작하였다. 캘리포니아 주립대 종교학과 프란츠 메트칼프 교수와 '인도주의 경영'의 전도사라는 갤러거 해틸리 두 사람이 공저한 "부처님이라면 어떻게 하실까?"라는 제목의 책자를 SPR경영연구소라는 곳에서 번역하였는데, 거기 실린 이야기들을 1회 300자 이내로 옮겨 싣는 작업이다. 며칠 전에는 '신뢰성'에 대한 이야기를 실었다.

리더십 워크숍에서 '신뢰성Trustworthiness'을 설명하기 위해 드는 예화例話를 하나 소개한다.

별로 상상하기에 즐거운 예는 아니지만 참가자 각자가 심각한 병에 걸렸다고 가정해보는 것이다. 아주 치명적인 병인데 그냥 놓아두면 죽음에 이르는 그런 병이라는 진단이 나왔다. 불행 중 다행인 것은 이 병은 수술을 받으면 완치가 가능하다는 것인데, 아주 까다롭고 정교한 큰 수술을 성공적으로 해야만 한다는 것이다.

여기 두 사람의 의사가 있다.

첫 번째 의사는 비유하자면 슈바이처 박사와 같은 분이다. 환자의 아픔을 자신의 아픔 이상으로 생각하고 자신의 모든 능력과 심혈을 기울여서 환자의 병을 치료해 준다. 많은 임상경험을 가졌으니 그런 점에서 또한 안심이 된다. 다만 문제가 되는 것은 이분의 연세가 높다는 것이다. 나이가 칠십이 가까워 과연 이 정교한 수술을 잘 해낼 수 있을지 걱정이라는 뜻이다. 또 이 수술은 정교한 최신 장비를 사용하여야 성공률이 높은데, 이분은 요즘의 첨단 장비를 다루는 데는 익숙하지 못하다는 견해도 있다.

또 한 사람의 의사는 젊고 야심 찬 의사이다. 최근에 외국에서 귀국한 사십 대 중반의 의사인데 최신 장비의 사용에도 익숙하고, 이런 류의 정교한 수술에 대한 전문가로 알려져 있다. 그런 점에서는 최적격 능력 보유자인데, 다만 문제가 되는 것은 이 분이 지금 현재 미국에서 의사사고醫事故와 관련된 재판에 계류되어 있으며 이와 관련된 형사소추訴追를 피해 귀국했다는 소문이 있으며, 그 사고의 내용이 꺼림칙하다는 것이다. 내용인즉, 이 의사가 수술하던 환자의 멀쩡한 다른 장기를 잘라내어 이를 필요로 하는 다른 환자에게 불법이식을 해주고 돈을 받았다는 혐의인데, 주위에 수소문해 보니 이 의사는 돈이 생기는 일이라면 눈 하나 깜짝 않고 이와 같은 일을 해낼 수 있는 비인간적이고 냉혹한 성품의 소유자라는 것이다.

자! 이제 워크숍 참가자가 선택할 차례이다. 각자의 생사가 달려 있는 중요한 문제이니만큼 신중을 기해야 할 것이다. 독자 여러분이라면 어느 의사에게 자신의 수술을 맡기겠는가?

지난번 워크숍을 진행하면서 한 삼십 명쯤 되는 수강생들에게 이 질문을 던졌더니 첫 번째 의사를 선택하겠다는 사람이 열두어 명, 두 번째 의사를 선택하겠다는 사람이 대여섯 명쯤 되었다. 그래서 손을 들지 않은 사람들에게 물었다. 나머지는 차라리 죽음을 택하겠느냐고. 모두 한바탕 웃었는데, 그러더니 교수님 같으면 어떻게 하겠냐는 역공逆攻이 들어왔다. 시침 뺵 따고 대답했다.

"다른 의사를 찾아야지요."

그래서 또 웃음. 그런데 웃어넘길 일이 아니다. 하나 밖에 없는 내 목숨 아닌가? 신뢰할 수 없는 의사에게 맡길 수는 없는 일. 위의 두 사람의 의사를 우리는 둘 다 신뢰할 수 없기 때문에 이렇게 망설이게 되는 것이 아니겠는가?

신뢰성을 갖춘 사람만을 우리는 신뢰할 수 있다. 신뢰성이란 두 가지 요소를 다 구비具備하였다는 뜻하는 것이다. '좋은 성품性稟, Character'과 '뛰어난 역량力量, Competence' 둘 중 어느 하나만을 갖추고 있어서는 신뢰성을 갖추었다고 말할 수 없다는 것을 위의 예에서 보았다.

다시 풀어 말한다면, 좋은 성품이란 성실성Integrity, 성숙성Maturity, 그리고 승-승을 추구할 수 있는 심리적 풍요로움Abundance Mentality 같은 성품 등을 말하며, 역량이란 지식/기술Knowledge/Technology, 개념화 능력Conception, 그리고 이로부터 개인과 조직의 창의성 Creativity을 창출하는 능력 등을 말한다. 이 두 가지를 다 구비하여야만 신뢰성을 갖추었다고 하고 신뢰성을 갖춘 사람만을 우리는 신뢰하게 된다.

신뢰성은 리더의 기본적 자질이며, 성공적인 코칭을 위해서도 꼭 필요한 코치의 덕목이다.

뺄셈에서 얻어지는
한 가닥 지혜

Think Twice

내가 쓴 칼럼 글, '각주구검'을 읽고 친구 하나가 이메일을 보내왔다. 덜어내자, 덜어내자損之又損 청승을 떨어댔으니, 뺄셈 잘 해 덜어가며 늘그막의 인생 차분히 살다 가라는 이를 테면 핀잔 겸 덕담이었다. 그리고 보니 뺄셈에 대한 생각은 어제 오늘의 새로운 생각은 아니었다.

지금으로부터 20년도 더 전 1989년 뱀의 해, 이제는 애 엄마가 된 지 5년이 넘는 막내딸이 열 두 살 되는 해부터라고 기억된다. 당시 근무하던 회사의 사보 편집자로부터 글 한 줄 써 달라는 요청을 받고 '뺄셈의 미학'이라는 제목으로 친구 시인의 시를 인용해 가며 잡문雜文 한편을 썼던 것이 생각나서 꺼내어 읽어보고 아래에 소개한다.

덧셈은 끝났다
밥과 잠을 줄이고
뺄셈을 시작해야 한다
남은 것이라곤
때 묻은 문패와 해어진 옷가지
이것이 나의 모든 재산일까
(중략)

이제는 정물처럼 창가에 앉아
바깥의 저녁을 바라보면서
뺄셈을 한다
혹시 모자라지 않을까
그래도 무엇인가 남을까
－김광규의 시 '뺄셈' 에서

송년회를 겸한 시인의 출판기념회에서 돌아오면서 한 해를 보내며 그래도 한 줄 시를 얻은 친구에 대한 부러움이 희미한 질투인 것 같아 부끄러웠다.

"열심히 한 해를 살았노라고"는 하지만 부쩍 키가 크고 목소리가 다소 어른스러워진 삼 남매의 대견함 외에 과연 얻은 것은 무엇인가. 세모가 어느새 깊어가고 내 뺄셈의 미학은 어렵기만 하다.

아주 오래된 일로, 부장 초년생 때, 내가 주제넘게도 회사 내 여사원 모임의 초청연사가 되어 진땀 흘리던 때의 일이 기억난다. 무슨 말끝엔가 여사원 하나가 우리 집 가훈家訓이 무언가를 물었던지, 가훈 이야기가 화제가 되었다.

"아직은 아니지만, 내가 나이 들어 가훈 같은 것을 하나 만들어 여봐란 듯이 거실 벽에 걸어야 한다면, 60년대 유행가 가사 제목을 하나 골라 써 붙이리라."

'Think Twice.'

부룩 벤튼의 그 감미로운 저음의 허스키를 60년대 AFKN 즐겨 듣던 팝뮤직 애호가들은 기억하겠지. 실은 연가戀歌였으나 가사의 내용은 아무래도 좋아.

적어도 한 번은 상대방의 신발을 신고 서서 더 생각해 보자.
조금 억울한 듯하더라도 Think Twice.
집에서부터 이것을 시작하기로 한다면,
오! 개구쟁이를 징벌하기 전에 엄마여!
Think Twice.

세월이 흘러서 내 나이도 이른 바 중년, 이제는 가훈 한 줄을 멋지게 써 걸어야 할 때가 되었건만, 이 말씀은 아직도 공염불에 지나지 못하고 있다. 우선 내가 준행遵行할 자신이 있어야지. 수범垂範의 어려움이 갈수록 무겁게 느껴지는 것만도 뺄셈에서 얻어지는 한 가닥 지혜라면 지나친 자위일까.

그러므로 새해에는 기필코 가훈 한 줄을 부끄럼 없이 써 붙여 보리라.

뱀의 해에 큰 구렁이 꿈을 꾸고 막내딸을 얻었다. 덧셈 중이었으므로 주책이었고 욕심스러웠었지. 저녁에 키를 대보니 막내 머리가 어깨 위로 솟는다.

간난 이가 열두 살이 되어 다시 맞는 뱀의 해에 가훈 한 줄을 기어
코 얻어 보리라는 소망이 이제 소박하고 미소로운가, 아니면 가당찮
은 너무 큰 욕심인가.

위의 글을 쓴 뒤에도, 뺄셈을 계속하며 몇 년의 세월이 더 지났지
만 종래 'Think Twice'를 써서 가훈이랍시고 붙이지는 못하였다.
이 없으면 잇몸이라고, 그 대신 다른 방편이 하나 생겼다. 한문 공부
좀 하고 서예를 배운답시고 1991년부터 어깨너머로 몇 년 붓 잡는
법을 배웠는데, 당시 알게 된 중국 서법사書法師 마광문馬廣文 씨가
'신사愼思'라고 쓴 예서隷書 소품小品을 한 점 선물로 주었다. 내 나름
의 감상으로는 생각 '사思' 자는 뛰어 도망가려는 마음의 모습을 표
현한 듯 하고, 삼갈 '신愼' 자는 창과 방패를 든 마음의 주인이 엉거주
춤 이를 외면하고 선 듯한 모양으로 쓴 것처럼 보이는 데, 단지 내 보
기에 그렇다는 것일 뿐 작자의 의도는 물어보지도 물어볼 필요도 느
끼지 않았었다.

'신사愼思'와 'Think Twice'.

뜻의 어울림이 그럴 듯하기에 벽에 걸어놓고 바라본지 오래된다.
아이들은 '신사愼思'든 'Think Twice'든 아랑곳없이 제 맘대로
커서 짝 지어 핵가족 만들어 떠나갔고, 20년 역사도 넘는 가훈 써 붙
이기 프로젝트의 창연한 이 흔적은 여러 차례의 전투와 같은 이사를

무사히 살아남아, 아직도 아파트 거실 반닫이 위에 걸려 있다가, 오늘 코칭 공부를 하게 된 노년 주인공의 회상回想 주제가 되었다. 코칭 과정 중에는 자주 가훈 이야기도 등장하기 때문이다.

올해 열 살 된 큰손자 녀석, 아비 따라 중국 북경에서 살다 왔으니, 할아비 집 들락날락 하다가 조금 있으면 한문 배워 읽고 무슨 뜻인지 물어오지 않으려나?
희망 섞어 액자를 바라보며 무심결에 웃는다.

누가 요즘 젊은이들을 샤오황띠[小皇帝]라고 폄하했던가?

사명서 쓰기

1999년 4월, 당시 SK 아카데미의 교수직을 맡고 있던 나는 리더십 강좌를 하나 신설하려고 한국리더십센터가 실시하는 '성공하는 사람들의 7가지 습관'이라는 리더십 워크숍에 참여하였다. 그 과정에서 '내 마음 속 진여眞如에 대한 기도'라는 부제副題를 붙여 기도문 풍風의 자기 사명서Personal Mission Statement라는 것을 하나 써 가졌다. 내가 헤는 나이로 쉰 일곱 되던 해였으니 늦깎이도 한참 늦깎이었던 셈이다. 한참 《대승기신론大乘起信論》에 몰입해 읽고 있었던 때여서 무명칠통無明漆桶에 대한 진여의 안팎 훈습을 머리에 떠올리고 세운 제목이었다.

"원願을 세웠으면 이미 이루었다는 진리에 믿음의 뿌리가 내리게 하소서"라는 서두로 시작되는 그때 그 사명서는 지금까지 10여 년 동안 한 글자 수정 없이 내 삶의 나침반 노릇을 하고 있는데, 2001 년 첫 손자를 얻고 나서 무언가 추가할 것이 있지 않을까 생각해보았으나 결론은 그냥 놓아두자고 내려졌던 것이다.

지난 주에는 모 회사의 신입사원 20명과 함께 '새내기 리더십과 코칭적 의사소통'이라는 주제로 워크숍을 가졌다. 직장인으로서의 첫 걸음을 내딛는 걸음마 경영인들에게 무언가 일과 삶에 대한 소중한 일깨움을 얻게 해주려고 랜디 포시의《마지막 수업》, 아빈저 연구소의《리더십과 자기기만》등을 사명서 쓰기와 함께 짜 넣어 기획했었는데, 자기 사명서를 쓰게 하고 발표하게 하는 일련의 과정에서 오히려 워크숍을 주재한 내가 적지 않은 배움을 얻게 되었다.

자기 사명서를 쓰는 방법으로는, 미래의 자신을 상상해 보고 역할에 따라 관계자로부터 어떤 찬사를 받도록 자신을 가꾸어 나갈지 적어보게 한 다음, 이로부터 삶의 원칙과 자신의 헌장憲章을 찾아내도록 하는 코비 박사의 정통적인 방법을 소개하였다. 과외 만능시대라 웬만한 신입사원 지망생들은 취업준비학원 등에서 과외를 통하여 입사시험을 준비했다고는 하지만, 자기 사명서 작성은 선행학습 경험이 없을 텐데도 불구하고, 발표자도 듣는 이도 모두 감동하는 멋진 사명서들이 많이 나왔다. 누가 요즘 젊은이들은 이기주의적이며 자기만 아는 되바라진 샤오황띠小皇帝라고 폄하하였던가?

다음에 예로 든 오吳 모 군은 연구직으로 선발된, 석사학위를 가진 신입사원이었는데, 자신의 미래 모습Future Self을 상상 속에 투영해 보고 매 항에 적절한 이미지 자료까지 링크 삽입하여 다음과 같은 자기 사명서를 썼다.

하나, 가족은 짐이 아니라 축복이다.
둘, 모든 대륙에 족적을 남기다.
셋, 내 분야의 전문가로 인정받다.
넷, 건강한 남편, 아빠가 되다.
다섯, 나이 50에 청바지를 입다.
여섯, 말과 행동을 일치시키다.

이와 같은 사고思考의 축약縮約은 가상假想의 팔순 잔치라는, 삶을 축하Celebrate하는 시점에 도달한 미래의 오 군 자신이, 어떤 관계에서 어떤 역할을 다하였다는 찬사讚辭를 받고 싶은가 하는 자기 성찰을 시도함으로써 얻어진 결정結晶이었는데, 이를 순서대로 따라가 보면,

■ 어머니로부터 받고 싶은 찬사:
다음 생애에서도 네가 내 아들이기를 바란다. 너는 아빠와 같이 든든했으며, 때로는 애인처럼 따뜻한 남자였단다.

■ 미래의 아내로부터 받고 싶은 찬사 :

지금까지 나와 같이 항상, 나란히 걸어 와줘서 고마워. 사랑하는
사람과 같이 있다는 게, 얼마나 행복한지를 알았어.

■ 미래의 아들로부터 받고 싶은 찬사 :

말보다 행동으로 보여준 아빠, 존경합니다. 삶을 음미하는
방법이 얼마나 다양한지를 아빠를 통해 배웠습니다.
"다음은 어디로 떠날까요?"

■ 사장/공장장으로부터 받고 싶은 찬사:

정말 열정적인 자네였어. 현장을 뛰어다니는 자네는,
공장 점퍼가 제일 잘 어울리는 사람이었어.

■ 친구로부터 받고 싶은 찬사:

힘이 들 때마다, 너랑 같이 마신 술이 가장 달았다. 그리고 넌
어디에 내 놓아도 자랑스러운 멋진 놈이야.

그러고 보니 필자도 대학 졸업하여, 첫 직장 유공에 엔지니어로 입
사하였을 무렵의 미래 희망은 거무튀튀한 얼굴에 작업복과 헬멧이
멋지게 어울리는 공장장이 되는 것이었다.

"너희들은 지금부터 화공·기계·전기 엔지니어가 아니라 정유공
장 엔지니어이다."

라고 훈시하던 당시 미국인 공장장의 모습을 잊은 줄 알았었는데,
이제 보니 머릿속 어디엔가 각인되어 있었다.

꿈은~
이루어 진다

미래의 자신과 만나다

3년 전인가, 약학박사 학위를 받고 식약청에 둥지를 텄다고 내게 신고했던 내 코칭 고객 '윤마눌엄마연구왕여사'가 며칠 전 느닷없이 내 Facebook 홈에 글을 올렸다. 오는 4월 자신이 그처럼 가고 싶어하던 세계 최고의 신약 연구소인 프랑스 '파스퇴르 연구소'에 포닥Post Doctoral 과정으로 가게 되었다는 반가운 소식을 한시 바삐 전하기 위해서였다.

앞의 코칭 글에 등장하는 이 고객을 혹 기억하는 독자가 있는지 모르지만, 이 긴 이름의 주인공은 내가 코칭 과정 중에 '미래의 자신 Future Self' 투영 기법을 사용하여 큰 효과를 얻었던 나의 모범 고객

중 하나이다. 당시 윤 양은 박사 과정을 마치고 논문 심사도 끝나, 학위 수여식만을 기다리고 있는 약학도였는데, 남들 생각과는 달리, 학위 획득을 기뻐하고 미래 설계에 부풀어 있는 것이 아니라 깊은 회의에 빠져 들게 되어 내게 코칭을 받고 있었다.

학위는 곧 받게 되겠지만 그게 다 무슨 소용이냐는 것이었다. 남들 다 하는 연애도 한번 못해보고, 갓난아기 안고 동창회에 나오는 친구들 부러운 것도 참고, 박사과정 수학에 매달렸었다. 그때는 몰랐었는데, 이제 다 끝났다 생각하니 맥이 풀린다는 것이었다. 학교에 남아 교수들, 대학원생들과 씨름하는 생활이 계속되는 것도 신물이 나고, 설사 잘 나가는 제약회사 연구실에 취직되어 신약개발에 투입된다고 해도 가장 중요한 임상은 의대 출신들이 장악하고 있어 풋내기 약학박사는 심부름꾼에 지나지 못한다는 하소연이었다.

그러고 보니 자신이 가장 원하는 것은 약학박사도 신약 발명가도 아닌, 사랑 받는 아내, 사랑하는 아이들의 엄마였다는 것이었다.

코칭 과정 중 어느 날, 나는 그녀를 명상의 세계로 이끌어 함께 20년 뒤 상상의 세계로 들어가서, '미래의 그녀—그녀의 Future Self'를 찾아가 보았다. 그녀에게 방금 만나고 있는 자신의 Future Self에 이름을 붙이라고 요청하자 그녀는 잠시 망설이더니 '마눌엄마연구왕여사' 라는 긴 이름을 생각해 내었다.

"그런데 그 '마눌엄마연구왕여사'는 지금 어디에 있나요?"

"음~ 파스퇴르 연구소요. 파리의 파스퇴르 연구소 한 연구실에서 창밖의 정원을 내려다보고 있어요."

이윽고 현실로 돌아온 우리는 함께 책무를 정했다. 그녀가 책무를 선택했다는 표현이 옳을 것이다. 그녀도 자신이 어떻게 파스퇴르 연구소를 생각해 내었는지 신기해 하였다. 프랑스 대사관 과학참사관을 접촉하고, 파스퇴르 연구소에 자기소개서와 학위 논문을 보내고 포스닥 과정을 신청하였다. 가슴 졸이는 몇 주의 기다림 뒤, 믿기지 않는 포닥 과정 잠정 승인을 얻었었는데… 갑자기 닥친 유럽의 금융위기가 발목을 잡았다. 연구소의 예산 부족으로 외국인 포닥 영입은 무기한 연기할 수 밖에 없다는 통보였다.

하는 수 없이 국내에서 직장을 찾았다. 식약청은 그렇게 해서 찾은 그녀의 직장이었다.

그런데 3년이 지난 이제 파스퇴르 연구소 行의 꿈이 이루어지게 된 것이라니.

그녀가 기쁜 만큼, 나도 기뻤다.

"혹시 우리 연구왕 여사, 파란 눈의 연구원 하고 결혼해서 금발에 백설 같은 피부, 꿈 꾸는 듯한 녹색 눈동자 가진 아기 낳는 것 아냐?"

내가 짓궂게 놀리자 윤 양의 얼굴이 붉어졌다.

지난 주에는 울산의 SKC 공장을 다녀왔다.

울산 SKC 공장은 늘 내게 감미로운 추억을 일깨우는 곳이다. 이 공장은 1986년부터 1990년 사이에 당시 우리 팀의 동료들과 함께 내가 무無에서 창조해낸 공장이라 해도 지나치지 않는다.

산을 깎아 공장 부지를 만들고 거기 일본에 이어 아시아에서 두 번째로 연산 10만 톤 규모의 대형 프로필렌 옥사이드 공장의 위용偉容을 만들어 세운 것도 그러했지만, 우리가 유치하려고 애썼던 세계 최고의 기술선이자 합작선인 미국의 아코케미칼ARCO Chemical의 콧대는 또 얼마나 높았던가? 몇 번이나 삐긋거리며 와해될 뻔하던 합작 사업의 위기를 지혜와 끈기, 사명감으로 마침내 극복하였던 감회가 오늘에 새롭다.

금년 초 SKC 승진 인사를 통하여 이 공장에 새로운 공장장이 선임 되었다. 이번 SKC를 방문하는 감회가 특별하였던 것은, 내가 재임 시 인터뷰 하여 뽑아 아끼던 신입 사원 중 하나가 어느덧 성장하여, 연간 2조 원에 달하는 제품을 생산하는 공장의 막중한 책임을 맡은, 공장장으로 성장하였기 때문이기도 하였다.

금년에는 회사의 경영방침을 따라 공장에서도 소통의 리더십을 뿌리내리려 한다고 그런 제목으로 강의를 부탁하기에 쾌히 승낙했다.

두 시간의 워크숍이 끝나고 참여했던 간부 사원들과 회식 장소에 가기 위해 공장장과 함께 승용차에 올랐을 때였다.

단 둘만이 되자 공장장이 작업복 주머니를 더듬더니 서류 한 장을 꺼내 건네었다.

"부사장님,"

공장장이 잠시 말을 끊었다. 이들은 아직도 나를 부사장이라는 칭호로 부른다. 이 호칭이 센티멘탈리스트인 내게는 마치 그들이 언제까지나 내가 떠나던 때를 잊지 않겠다는 뜻으로도 들린다.

"이 사명서가 오늘의 저를 만들었습니다."

나는 아무 말 않고 그의 사명서를 펼쳤다.

눈 앞이 뿌옇게 흐려지는 것을 느꼈다. 1999년 내가 그들의 부사장 자리에서 은퇴하여 SK 아카데미 교수로 부임, 봉직하고 있을 때였다. 그들에게 대한 내 마지막 봉사라는 뜻에서 공장의 젊은 간부

직원들에게 7 Habits성공하는 사람들의 7가지 습관를 열강熱講했던 기억
이 새삼 되살아왔다. 공장장은 그때 작성한 사명서를 지켜 준행하며
이제 여기까지 이른 것이라고 말하고 있었다.

그가 자랑스러운 만큼, 나도 자랑스러웠다.

공장장도 아마 내 눈가에 잠시 이슬이 비치는 것을 느꼈을 것이었다.

"이건 내가 보관하도록 하지."

"네."

우리는 어눌한 짧은 대화를 마쳤고, 나는 그의 사명서를 애써 반듯
하게 접어 안주머니에 넣었다.

꼭《시크릿》의 끌어당김 법칙에 의존하지 않더라도,

'꿈은 이루어진다'.

'미래의 자신'에 대한 코칭의 법칙이다.

그러고 보니, 이들의 코칭을 통해, 또한 꿈을 이루고 있는 것은 아
마도 내가 아닐는지?

나 역시 최근 '불교와 코칭' 연재 칼럼을 쓰며 재정비한 불자佛子
코치의 사명서를 꺼내 되 읽어보게 된다. 이런 말을 써 갖고 있었다.

'누구에게나 이익을 주고 그것으로 나의 기쁨을 삼는 삶을 살겠다.'

맑고 향기롭게

|

매주 꽤 부담이 되던 신문의 칼럼 연재를 끝마치고 홀가분한 마음
으로 참석한 어느 전문코치들의 모임에서 잘 아는 젊은 여성 코치가
뜬금없는 질문을 던져왔다.

"코치님, 5년 뒤에는 어떤 모습으로 계시기를 원하세요?"

"글쎄, 나보다는 좀 더 젊은 코치에게 물어보면 어때?"

웃으며 대답하고, '선수끼리 왜 이래?' 하는 표정을 지어 보이며 그
자리를 끝냈었는데, 돌아오는 길에서도, 그 다음 날도, 그 질문이 계속
마음에 걸렸다. 정말 5년 뒤 나는 무엇이 되어 있기를 바라는 것일까?
내일 모레면 70인데 PCC, MCC 점차로 더 높은 인증자격 획득하여
더 유능한 코치, 더 영향력 있는 코치가 되려는 것이 나의 바람일까?

코칭은 직업이 아니라 삶의 방식이라고 남 들으라는 듯이 떠벌려 놓은 주제에….

그때까지는 큰 손자 녀석 열다섯 살이 되어있을 테니, 시골에 전원주택 한 칸 마련하여 화초 가꾸어 놓고 아이들 기다리는 은둔자의 구안苟安을 기대하여 볼까? 아니면 어느 인연 있는 암자에 몸을 의탁하여, 새벽 예불 소리, 풍경 소리, 얼음장 밑을 흐르는 겨울 시내 소리를 법문 삼아 들으며 내려놓는 삶에서 얻는 기쁨 건너의 기쁨을 추구하여볼까?

3월 초순에는 3일 간 진행하는 어느 코칭 워크숍에 FTFacilitator 그룹 중 한 명으로 참여하였는데, 마지막 날의 세션에서 마침 삶의 목표 선언Life Purpose Declaration을 작성하는 장면이 있었다.

참여자 각자가 로또 추첨을 통해 번화가 네거리에 커다란 사인보드 하나를 경품으로 받았다고 가정하게 한다. 그 사인보드에 "당신이 만들어 놓아 남들에게 보여주고 싶은 글, 그림들을 채우기로 한다면 어떤 것들을 담을 것인가?" 하는 것이 첫 번째 주어지는 과제이다.

그 작품이 완성되고 나면 다시 두 번째의 과제가 주어진다. 지금으로부터 200 수십 년 후 어느 공원에서 열리는 기념식의 장면을 머릿속에 그려보라는 것이다.

"그 공원이 당신의 탄신을 기념하여 세워진 공원이라면 어떻겠는가? 그 공원의 이름은 무엇이라고 명명하겠는가? 당신의 무엇을 그들이 기리고 있을 것인가? 어떤 사람들이 당신을 그리워하고 흠모하려고 거기 모여들었을 것인가?"

등을 상상해보게 된다.

마지막 과제는 당신이 발명가가 되는 일이다. 당신이 발명가가 되어 공항 보안검색대에 설치된 금속 탐지기 비슷한 장치를 하나 창안하였다. 그러나 이 장치의 기막힌 점은 이를 통과하는 사람의 성품을 버턴 하나 눌러 당신 마음대로 개조할 수 있는 작용이 있다는 점이다.

"당신은 이 장치에 어떤 기능을 부여하여 이를 통과하는 사람들을 어떻게 개조하려 할 것인가?"

이러한 질문에 답해 보는 일이다.

이 과정을 다 끝마치면, 워크숍 참여자들은 아래와 같은 '삶의 목표' 선언문을 준비하도록 되어있다.

나는 _____하는 _____이다.

이 선언문을 손짓, 발짓, 몸짓전문용어로 Geography라고 표현한다 섞어 여러 사람 앞에 공표하는 것으로 그 부분의 세션을 막음 하게 되는 것이었다.

이 글을 읽는 독자라면 어떻게 이 과정을 수행하였을까? 모두 한번 따라 해보시기 바란다.

워크숍 참여자들을 독려하여 이 과정을 수행하면서 필자에게 자꾸만 되돌아와 부딪치는 것이 바로 앞에서 말한 '5년 뒤의 자신'에 대한 성찰 질문이었다. 이로써 필자도 자신의 '목표 선언문'을 재정비하는 기회를 가지게 되었다고나 할까?

무슨 이유에서였을까? 나는 맨 먼저 내가 다니는 불이선원 입구에 붙어 있던 심상한 표어 한 구절을 생각해내게 되었다.

'맑고 향기롭게'

내가 로또로 뽑은 사인보드에는 그러므로 이 글을 실어 보리라. 지나가는 행인들에게, 글이 아니라 향기를 전하는 방법은 없을까? 대원군 이하응의 석란石蘭, 바위틈을 비집고 서생捿生한 짧고 강인한 촉의 난 한 포기, 사인보드 화면에 Fade-in, Fade-out 은근하게 나타났다 사라지면, 한 줄기 꽃대에 클로즈업, 수묵화의 난 꽃에서 피어올라 때마침 부는 바람에 실리는 암향暗香이 되리. 나는….

그래서 소나무 아래 바위 위에 앉은 명상자의 지오그래피 Geography로 '삶의 목표 선언'을 하게 되었다.

"나는 그대들의 창에 스며들어 잠시 당신의 머리맡을 맑히고 사라지는 한 줄기 난향蘭香입니다."

워크숍의 목적에는 그럭저럭 맞추었다지만, 그러나 나는 이 선언문의 수사학이 그 맑음과 향기로움을 훼손하는 것이 싫었다고 고백할 수밖에 없다. 차라리 침묵하는 향기로움은 어떤가? 맑고 향기롭게, 맑고 향기롭게….

어떤 것이 맑음이며, 어떤 것이 향기로움인가?

5년 뒤, 맑고 향기로운 불자이기를 위하여 나는 지금 무엇을 덜어내고 있으며, 어떤 새로운 내려놓음을 시도할 수 있을 것인가? 이어지는 코치의 성찰질문이다.

후기, 이 글 쓰기를 마친 날의 오후, '맑고 향기롭게' 살다 가신 법정 스님의 부음을 접하였다. 합장하여 잠시 스님이 끼치고 가신 향기를 흠향하다.

조 정 남

•

(주)SK텔레콤 고문, 부회장

경영자 출신으로 코칭의 일가를 이루다

필자 허달은 내가 다닌 대학의 같은 과 한 해 선배다. 생애 최초 직장에서의 30여 년 동고동락을 포함하여 45년여를 붙어 다니며 요즘까지도 일화를 만들어 내고 있는 가까운 친구다. 때로는 축하와 위로를, 때로는 티격태격 시비를 주고 받으면서 일생을 함께 살았으나, 그에 대한 존경과 부러움을 놓은 적이 없다는 것이 내가 처음 내놓는 솔직한 고백이다.

필자나 나나 화학공학자로서 수십 년 생업을 삼은 사람인데, 나는 착실한 기술자로서 경영자의 길을 외곬으로 밟았음에 비해, 필자는 유능한 기술자이면서 동시에 때로는 거창한 문명비평가, 종교학자, 시인, 경영법 전문가, 기업의 최고경영자로서의 역할까지 두루 해내는 사통팔달의 인물이었다. 요즘 와서는 그 경험을 안성맞춤으로 활용할 코치라는 직업을 찾아내어 어느새 일가를 이루었다니, 진심으로 경하할 일이다.

그렇기는 하지만, 이제 경영자의 길에서 영예롭게 물러나 남은 일들을 하나씩 정리해 가는 은퇴자의 길을 걷고 있는 본인으로서는 그의 끝나지 않는 현역(?)생활에 은근히 마음 한 구석 시샘이 일어나지 않는 것도 아닌 모양이다.

지난 9개월여에 걸쳐서 주간 신문 '현대불교'에서 그가 쓴 칼럼을 매주 만나면서, 매 편 글 속에서 새로이 부딪치게 되는 필자의 섬세하기까지 한, 사려 깊은 모습이 과연 내가 평생 시시덕거리며 사귀고 알아온 그 사람인가 하는 생소함을 느꼈던 적이 한두 번이 아니었다. 그를 그저, 외향적인 듯하다가도 쑥스러움을 잘 타기도 하고, 머리가 좋은 만큼 적당히 게으르며, 편안한 미소를 가진 지인으로 오래 알아온 다른 사람들도, 아마 이 책에 실린 글들을 읽게 되면, 그 동안 가까이 있으면서도 발견하지 못했던 그의 통찰 깊은 내면세계를 아마도 외경畏敬의 염念으로 바라보게 되리라고 믿는다.

코칭이란 자기의 지식이나 의도를 고객에게 주입하겠다는 자기중심적인 태도로는 성공할 수 없고, 상대의 열정을 유발하여 스스로 해법을 찾아내게 하고 스스로 실행하여 문제를 해결하고 과업을 완수토록 도와주는 일이라고 한다. 나도 무려 40여 년을 경영 일선에서 일해 온 사람으로서, '40년씩이나 성공하는 전문경영인으로 살려면 어떻게 해야 하는가?' 하는 후배들의 질문을 자주 받았던 경험이 있다. 요약하여, '절대로 부하에게는 정답을 주지 말라' 는 내 나름의 깨달음인 경영자 수칙을 후배들에게 우스개 섞인 화두로 내놓았었는데, 그것이 알고 보니 바로 코칭의 수칙이었을 줄이야.

이 책은 불교뿐이 아니라 꽤 많은 경전 수준의 동서고금東西古今 일화와 필자의 실제 경험을 유머러스하게 등장시켜, 코칭의 원리와 실제를 엮어 짠 튼실한 직조물인 동시에, 필자의 빛나는 문체와 문학적 소양으로 써낸 주옥같은 수필 모음이기도 하다. 코칭이 기업 경영이나 조직 운영뿐 아니라 우리 모두의 일상생활에 두루 활용될 의사소통의 해결책을 찾아주는 비법이라는 필자의 주장에 동의하면서 일반 학생, 모든 직장인, 특히 스스로의 발전에 관심을 두고 노력하는 여러 젊은 경영인에게 울림 있는 법음法音이 될 것으로 굳게 믿어 일독을 권하는 바이다.

정 기 준
●
학술원 회원, 서울대 명예교수

불교와 코칭 통해 인생을 관조하는 벗

외우畏友 허달 정천 거사가 책을 낸다. 처음에는 책의 제목을 '아하!' 라는 가제를 붙였다더니 최종적으로는 '마중물의 힘'으로 결정되었다고 한다.

정천 거사는 왜 나의 외우인가? 내가 그를 경외하기 때문이다. 존경하고 두려워하기 때문이다. 그의 박식함과 확신감에 존경하고 두려워하지 않을 수 없기 때문이다. 무려 오십여 년간을….

정천 거사는 어려서 문학 소년이었다. 고등학교 재학 중에는 교지에 단편소설을 써서 친구들을 사로잡았고 부러움을 샀다. 만나서 이야기해 보면 화제에 걸림이 없고 막힘이 없었다.

그러던 그가 엉뚱하게도 공과대학으로 진학하였고, 엔지니어가 되었다. 그 다음에는 유능한 CEO로서 명성을 날렸다. 문학소년 내지 문인으로서의 소질은 공식적으로 발휘할 기회가 거의 없는 생활이었다. 그러나 친구들과 어울리는 자리에서는 언제나 좌중을 압도하는 논설을 펴 왔다. 그의 이야기를 듣고 있으면 세상을 알게 되었고, 저절로 덩달아 유식해지고 지혜가 늘어나는 것을 느꼈다. 그와 자리를 같이하는 일이 즐거웠다.

이제 연륜이 쌓인 그는 본격적으로 인생을 관조하는 일에 심취하고 있다. 불교와 멘토링을 통하여 인생의 깊이를 깊게 하고, 넓이를 넓혀가고 있다. 그리고 최근 몇 년간은 코칭에 빠져들더니, 이를 자기의 인생과 접목하여 드디어 작품을 만들었다. 오십여 년 전의 문학소년의 기질을 인생의 완숙기에 발휘하고 있는 것이다.

"아하!"

이것이 바로 인생이로구나!

조 진 욱
•
한국바스프 회장

글로벌시대 한국의 CEO들에게 필요한
코칭교과서

　내가 허달 선배와 처음 친밀해진 시점은 내가 한창 왕성한 기력으로 세일즈를 할 때였다.

　화학공장에 필요한 촉매를 판매하는 것이 내 일이었다. 당시 허달 선배는 유공옥시케미칼의 영업관리부문 부사장을 역임하고 있었다. 능력이 출중하고 직장에서 잘나가고 있는 것으로 동문들 사이에서 널리 알려진 허달 선배야말로 내가 생각하는 우상이었고 그 회사에 물건을 팔러 간다는 생각만으로도 가슴이 뛰었다. 일은 성사되지 않았지만, 그 때의 경험은 허달 선배가 가진 경영자로서의 능력을 엿볼 수 있는 소중한 기회였다.

　수년간의 중국 근무를 마치고 돌아와 보니 허달 선배는 한국화인

222

케미칼 사장으로 근무 중이셨다. 동문 CEO 골프 모임에서 이따금씩 만날 때면 오랜 경험에서 나오는 그의 달변과 재치로 늘 나를 감동시키곤 했다.

정년퇴임 후 무엇을 하시는가 한동안 궁금하였는데, 어느 날 당신이 하고 계신 리더십 코칭 수업과 경험에 대하여 이야기 하시는 것이 아닌가.

경영자로서 그렇게 훌륭한 경력을 가진 분이 전혀 새로운 분야인 코치를 하신다니 처음에는 언뜻 이해할 수가 없었다. 그러나 허달 선배처럼 다양한 직장경력을 가진 사람이, 특히 다문화 환경하의 조직을 이끌어본 사람이 코치를 한다면, 현재의 글로벌시대에 한국의 CEO들에게 많은 도움이 될 거라는 생각이 들었다.

LG 화학의 김반석 부회장도 허달 선배로부터 코치를 받는다는 이야기를 들은 후 욕심이 생겨 우리 한국바스프에서도 코치를 해 달라고 부탁을 드렸다. 허달 선배의 약력을 바스프 본부에 보내고 승인을 받아 한국바스프의 독일인 CFO인 Mr. Gottbrath의 코칭을 부탁 드렸다. 바스프 그룹은 몇 년 전부터 임원진을 대상으로 360도 다면 평가를 진행하고 있었고, 평가 이후 코칭을 통하여 리더십 역량을 개선시켜 나가고 있었다. 그 동안은 주로 독일에서 공부한 코칭 전문가나 대학교수를 초빙하였지만, 순수하게 기업에서 배우고 성장한 허달 선배를 코치로 선임한 것은 작지만 혁신적인 결정이었다. 결과는 말할 것도 없이 대성공.

　최근 허달 선배가 매주 보내주시는 글을 받아보는 것 또한 영광이 아닐 수 없었다. 구절구절 나의 경험과 현재 회사 생활에 연결이 되어 크나큰 공감을 받았고 많은 도움이 되었다. 친구 및 선후배들에게 허달 선배의 글을 배달하는 것도 나의 즐거움 중의 하나이다. 중고등 시절부터 글재주가 뛰어나다는 이야기는 익히 들었지만 불교정신을 접목시켜 코칭의 원리와 과정을 설명하는 선배의 탁월한 재주야말로 감탄하지 않을 수 없었다.

　이제 이런 주옥같은 선배의 글들이 단행본으로 발간되어 보다 많은 사람들에게 공유될 수 있다고 하니 정말 기쁘고 강추할 수밖에 없다!